Recursos criativos em Gestalt-terapia

CIP-BRASIL. CATALOGAÇÃO NA PUBLICAÇÃO
SINDICATO NACIONAL DOS EDITORES DE LIVROS, RJ

R248

Recursos criativos em Gestalt-terapia / organização Lilian Meyer Frazão, Karina Okajima Fukumitsu. - 1. ed. - São Paulo : Summus, 2021.
200 p. ; 21 cm. (Gestalt-terapia : fundamentos e práticas ; 8)

Inclui bibliografia
ISBN 978-65-5549-046-6

1. Psicoterapia. 2. Gestalt-terapia. 3. Criatividade. 4. Arteterapia. 5. Escrita criativa. 6. Musicoterapia. I. Frazão, Lilian Meyer. II. Fukumitsu, Karina Okajima. III. Série.

21-73152   CDD: 616.89143
CDU: 615.851:159.9.019.2

Camila Donis Hartmann - Bibliotecária - CRB-7/6472

www.summus.com.br

Compre em lugar de fotocopiar.
Cada real que você dá por um livro recompensa seus autores
e os convida a produzir mais sobre o tema;
incentiva seus editores a encomendar, traduzir e publicar
outras obras sobre o assunto;
e paga aos livreiros por estocar e levar até você livros
para a sua informação e o seu entretenimento.
Cada real que você dá pela fotocópia não autorizada de um livro
financia o crime
e ajuda a matar a produção intelectual de seu país.

Recursos criativos em Gestalt-terapia

LILIAN MEYER FRAZÃO
KARINA OKAJIMA FUKUMITSU
[ORGS.]

summus editorial

RECURSOS CRIATIVOS EM GESTALT-TERAPIA
Copyright © 2021 by autores
Direitos desta edição reservados por Summus Editorial

Editora executiva: **Soraia Bini Cury**
Preparação: **Janaína Marcoantonio**
Capa: **Buono Disegno**
Diagramação: **Crayon Editorial**

Summus Editorial
Departamento editorial
Rua Itapicuru, 613 – 7º andar
05006-000 – São Paulo – SP
Fone: (11) 3872-3322
e-mail: summus@summus.com.br

Atendimento ao consumidor
Summus Editorial
Fone: (11) 3865-9890

Vendas por atacado
Fone: (11) 3873-8638
e-mail: vendas@summus.com.br

Impresso no Brasil

Sumário

Apresentação 7
Lilian Meyer Frazão e Karina Okajima Fukumitsu

1 Arteterapia: recurso milenar que se consolida como prática terapêutica. 11
Selma Ciornai

2 Arte, ousadia e deflexão: práticas para a fluidez do olhar . . 29
Otavio Dutra de Toledo

3 O *clown* terapêutico: a Gestalt-terapia e o universo dos palhaços 57
Rodrigo Bastos e Montserrat Gasull Sanglas

4 Ressignificando histórias de vida 83
Maria de Fatima Pereira Diógenes

5 Oficinas de escrita criativa na formação de Gestalt-terapeutas. 99
Maria Teresa Vignoli (Teca)

6 Aquarela como recurso terapêutico 125
Wanne de Oliveira Belmino

7 Música, Gestalt-musicoterapia e a *awareness* do campo . .149
Paulo de Tarso de Castro Peixoto

8 O trabalho com máscaras: desvelando polaridades 177
Maria Alice Queiroz de Brito (Lika Queiroz)

Apresentação

LILIAN MEYER FRAZÃO

KARINA OKAJIMA FUKUMITSU

Recursos representam possibilidades para expressarmos nosso jeito de ser. A espontaneidade abre um caminho singular pelo qual cada indivíduo trilha o próprio desenvolvimento. Criatividade e espontaneidade, aliadas, são as marcas de todo ser humano que deseja se comunicar com o mundo. Não por acaso, no livro *Gestalt-terapia* (1997), Perls, Hefferline e Goodman mencionam o desprendimento criativo, o qual auxilia as pessoas a lidar com conflitos e situações de crise.

Chamamos esta obra de *Recursos criativos em Gestalt--terapia* porque acreditamos que a criatividade do ser humano é a arte absoluta daquele que deseja se expressar em sua singularidade, em sua forma única de ser. Convidamos autores que utilizam suas artes – no plural, para evidenciar os diversos recursos que podem derivar do campo artístico – para facilitar a ampliação de *awareness* em seus pacientes.

No capítulo "Arteterapia: recurso milenar que se consolida como prática terapêutica", Selma Ciornai apresenta a história e o desenvolvimento da arteterapia, particularmente no contexto da abordagem gestáltica, e ensina, de forma didática e clara, os vários aspectos a ser considerados na aplicação dessa forma de trabalho.

Em "Arte, ousadia e deflexão: práticas para a fluidez do olhar", Otavio Dutra de Toledo afirma: "Há momentos da terapia que pedem um 'remendo' pelo uso da arte". Otavio, em seu belo texto, compõe uma verdadeira tapeçaria com acordes que levam à fluidez daquele que precisa se encontrar.

No capítulo "O *clown* terapêutico: interseções entre a Gestalt-terapia e o universo dos palhaços", Rodrigo Bastos e Montserrat Gasull Sanglas apresentam o universo do palhaço, que propicia um caminho de experimentação, ousadia, criatividade e espontaneidade para lidar com enfrentamentos que uma pessoa julga serem insolúveis. A fluidez e a ampliação de *awareness* podem ser ampliados pelo *clown* terapêutico.

Trabalhar com histórias e contos de diferentes maneiras é o caminho escolhido por Maria de Fátima Pereira Diógenes no capítulo "Ressignificando histórias de vida". Nele, a autora acompanha seus clientes em cada fragmento da reconstrução da existência deles.

No capítulo "Oficinas de escrita criativa na formação de Gestalt-terapeutas", Maria Teresa Vignoli (Teca) afirma: "[...] Escrever livremente nos revela a nós mesmos e instaura uma forma própria de articular pensamentos e estudos com a vida em si, com a caminhada pessoal". Teca se dedica a oficinas de escrita há muitos anos e compartilha conosco sua experiência.

No capítulo 6, "Aquarela como recurso terapêutico", Wanne de Oliveira Belmino mostra que "a prática da aquarela é um recurso que permite realizar um contato profundo com a sensorialidade, as emoções, e quando mediado em contexto terapêutico leva a descobertas importantes e transformações necessárias [...]".

No penúltimo capítulo deste volume, "Música, Gestalt-musicoterapia e a *awareness* do campo", Paulo de Tarso de Castro Peixoto afirma que "a música nos leva a lugares desconhecidos em nós. Ela acessa caminhos obscuros que se abrem a partir da sua fluidez e das sonoridades estrangeiras ao mundo das palavras".

E, finalmente, no último capítulo deste volume, "Trabalho com máscaras: desvelando polaridades", Maria Alice Queiroz de Brito (Lika Queiroz) percorre magistralmente o significado da máscara ao longo do tempo e explica como sua utilização pode promover um experimento vivencial visando ao crescimento e ao desenvolvimento do paciente.

Assim, este volume se propõe a enriquecer o trabalho clínico do Gestalt-terapeuta com o uso dos múltiplos recursos artísticos possíveis.

Desejamos aos leitores bom proveito!

1
Arteterapia: recurso milenar que se consolida como prática terapêutica

SELMA CIORNAI

ARTETERAPIA: INTRODUÇÃO E HISTÓRIA

A arte tem sido, através dos tempos, um meio de conferir significado a fatos da natureza e da vida, organizando e dando sentido às experiências humanas. Também tem sido utilizada em processos terapêuticos e de cura em todas as culturas ao longo da história. O uso terapêutico das artes remonta às civilizações mais antigas, pois desde tempos imemoriais os seres humanos utilizam recursos como artes visuais, dança e música para expressar seus medos e desejos, bem como em rituais de cura e de invocação da proteção de deuses e forças da natureza.

Na verdade, desde nossos primórdios, arte, linguagem e socialização se desenvolveram juntas. E, com as artes, surgiu a capacidade de imaginar, simbolizar e criar metáforas, respondendo à necessidade do ser humano de criar e se expressar simbolicamente.

O aspecto simbólico da arte é universal, independentemente de cultura, época ou país. Segundo Bachelard (2015), a arte é a "linguagem da alma". Seu uso em terapia permite ao indivíduo reconectar-se com essa capacidade primordial de simbolizar e comunicar-se por meio de metáforas. Imagens, cores e formas sempre expressaram o indizível, o mistério, o que não é traduzível em palavras ou o que ainda mal se vislumbra, proporcionando-nos, como terapeutas, uma porta mágica de entrada para a intersubjetividade. Mas a arte tem desempenhado também outra função, muito importante para aqueles que trabalham como terapeutas: ensinar a sonhar e expressar sonhos em imagens concretas, imaginar transformações e vislumbrar realidades diversas, representando-as na arte. Nesse sentido, Bachelard (2015, p. 17-18) escreve: "A imaginação não é a capacidade de formar imagens da realidade; ela é a faculdade de formar imagens que ultrapassam a realidade, que cantam a realidade. É uma faculdade de sobrerrealidade".

Nos dias de hoje, a arte continua a exercer a função de expressar sentimentos, experiências internas e interacionais, percepções, sonhos, ideias, utopias; a ensinar as pessoas a descristalizar o olhar e a ver o velho e o desconhecido de distintas perspectivas, por vezes ressignificando-os; a desconstruir e reconstruir percepções; a ampliar nossa consciência sobre as relações entre partes e totalidades; a perceber o que não vemos no que olhamos; a dar expressão à nossa complexidade; a construir metáforas, dar forma ao nosso imaginário; a aprender a respeitar o mistério e a beleza da vida e da natureza. No entanto, foi apenas no final do século 19 que a arte passou a interessar psiquiatras, que perceberam que os trabalhos artísticos de seus pacientes podiam auxiliar na elaboração de diagnósticos e, posteriormente, no tratamento.

Nessa mesma direção, Freud escreveu sobre o poder da arte de expressar conteúdos reprimidos do inconsciente (que influi nas escolhas humanas, mas não obedece às leis do pensamento lógico e racional), sobre seu poder catártico e sublimatório, debruçando-se com interesse sobre as imagens dos sonhos e o trabalho de vários artistas.

Jung foi além ao estudar o poder revelador da arte, postulando a criatividade como função estruturante e enfatizando a importância da linguagem simbólica. Compreendia o símbolo como um elemento organizador de energias psíquicas, com potencial tanto de expressar conteúdos reprimidos (como Freud) como de sinalizar conteúdos prospectivos, possibilidades futuras e dimensões espirituais. Jung relatou suas experiências pessoais com arte e imagens, propondo que seus clientes expressassem conteúdos oníricos por meio de representações plásticas.

No período entre as guerras, e especialmente após a Segunda Guerra Mundial (na década de 1940-50), educadores como Victor Lowenfeld pontuaram a importância da expressão artística no desenvolvimento humano de maneira geral e no infantil em particular. A arte-educação floresceu e, concomitantemente a ela, surgiu a arteterapia, com o trabalho pioneiro de Margareth Naumburg. Esta expandiu a atuação em arte-educação que desenvolvia em uma escola de vanguarda em Nova York para o âmbito da saúde mental em hospitais.

Segundo ela, a atividade de expressão livre desenvolvida nos contextos de arte-educação poderia ser utilizada beneficamente em contextos terapêuticos, destacando o poder de comunicação simbólica, elaboração, estruturação cognitiva e emocional da atividade artística. Quase ao mesmo tempo, Edith Kramer, arte-educadora que imigrou para os Estados Unidos depois da Segunda Guerra, teve papel fundamental na gênese da arteterapia ao defender que a atividade artística seria, em si, terapêutica, prescindindo de análises e elaborações verbais. Trabalhando com crianças órfãs, muitas das quais sobreviventes de campos de concentração, Kramer ficou conhecida como a voz da "arte *como* terapia", e Naumburg como a voz da "arte *em* terapia", historicamente duas correntes no pensamento e na prática arteterapêutica que, na verdade, se complementam, apesar dos enfoques diferentes.

Nos anos 1960, com a eclosão e difusão das terapias expressivas, profissionais de diversas abordagens passaram a inserir o uso de linguagens expressivas e não verbais em seus trabalhos e em seu repertório de intervenções e propostas terapêuticas. Além da arteterapia (que tradicionalmente utiliza recursos expressivos das artes plásticas), surgem a musicoterapia, a dançaterapia e as terapias corporais.

Em 1965, Janie Rhyne, artista e arte-educadora com mestrado em Arte e Antropologia, foi a Esalen em busca dos *workshops* com Fritz Perls, que estavam gerando comentários entusiasmados nos movimentos de contracultura da época e atraíam todos os que buscavam alternativas às terapias tradicionais.

Durante dois anos, participou intensamente de treinamentos e sessões de psicoterapia. Ao trabalhar suas questões pessoais, às vezes trazia desenhos. Perls, que também era pintor, se interessou, e lhe propôs que desenvolvesse experimentos de arte com os grupos que conduzia. Enquanto trabalhava com Perls, Janie desenvolveu grupos de autoconhecimento utilizando recursos artísticos em sua casa-ateliê no bairro de Haight-Ashbury, São Francisco, reduto *hippie* naquela época. E assim nasceu a arteterapia gestáltica, inicialmente chamada de *Gestalt Art Experience* – título do seu primeiro livro (em português, *Arte e Gestalt – Padrões que convergem*). Ao ter contato com seu trabalho, a Associação Americana de Arteterapia a convidou para ingressar na instituição. Em 1969, a pedido e por sugestão de Perls, fundou, com dois colegas, o Instituto Gestalt de São Francisco, onde tive o privilégio de me formar Gestalt-terapeuta.

ARTETERAPIA: O QUE É, PARA O QUE É E PARA QUEM É

"Arteterapia" designa a utilização de recursos artísticos em contextos terapêuticos. Como área de conhecimento mais formal, teve início nos anos pós-guerra, com a constatação de que imagens de arte podem representar a realidade interna das pessoas e ajudar a expressar percepções, ideias e sentimentos que, muitas vezes, as palavras não conseguem alcançar.

Imagens, metáforas e símbolos constituem pontes para a comunicação intersubjetiva, facilitando a compreensão do que se passa e está sendo vivido e expresso pelo outro – facilitando, portanto, a empatia e a criação de vínculos no contexto terapêutico. A Associação Americana de Arteterapia assim descreve esse campo:

> A arteterapia é uma profissão que integra saúde mental e serviços sociais, enriquecendo a vida de indivíduos, famílias e comunidades

por meio do fazer artístico, de processos criativos e de teorias psicológicas [...] no contexto de uma relação terapêutica. Facilitada por um arteterapeuta profissional, [...] melhora as funções cognitivas e sensório-motoras, promove a autoestima, os *insights*, a autoconsciência e a resiliência emocional, além de aprimorar habilidade sociais, reduzir e resolver conflitos e sofrimentos e promover transformações sociais e ecológicas. (American Art Therapy Association, 2017)

Sendo interdisciplinar, a arteterapia exige conhecimento de disciplinas da psicologia, da arte e da arteterapia propriamente dita, e pode enriquecer sensivelmente a atuação de profissionais que trabalham com relações de ajuda.

Pode ser utilizada em processos de avaliação, desenvolvimento pessoal, interpessoal e grupal, processos de autoconhecimento, expansão de consciência e elaboração simbólica, ajudando no desenvolvimento da criatividade, da autoestima e da autoconfiança. A arteterapia utiliza a capacidade humana de criar imagens, metáforas e símbolos em representações artísticas com os quais podemos dialogar, favorecendo o surgimento de *insights* – pois, como um canal mágico, a arte ajuda as pessoas a adentrar a própria sensibilidade e o próprio mundo interior.

A abordagem é utilizada em contextos de atendimento individual, familiar ou grupal, com pessoas de várias faixas etárias e nos contextos mais variados: escolar, hospitalar, psicoterápico, comunitário etc. Quando vivida em grupos, ajuda a criar vínculos grupais, identificar e processar questões da dinâmica grupal e, também, a contatar e mobilizar os recursos e potenciais dos membros desse grupo ou comunidade – não só pelas trocas, como também pelo fato de que, frequentemente, criações coletivas propiciam o resgate do sentido de pertinência e o sentimento de orgulho que dele decorre.

Outro aspecto importante a ser mencionado é que a obra pode ser olhada e avaliada em diversos momentos, possibilitando que reflexões sobre o processo e seu conteúdo perdurem e se desdobrem no tempo. É possível, por exemplo, comparar trabalhos realizados ao longo de um período, percebendo quais características permaneceram e quais se transformaram. Esse tipo de observação traz informações valiosas ao cliente e ao terapeuta quando estes se debruçam juntos sobre os trabalhos criados; e, também, à avaliação de casos em equipes interdisciplinares.

É importante assinalar que o que diferencia o processo de arteterapia de uma aula de arte ou atividade ocupacional é que este sempre se inicia com o pensamento clínico sobre o caso e ponderações sobre os objetivos terapêuticos a ser tomados como norteadores. É isso que conduzirá às sugestões de experimentos, técnicas e materiais, além do que ocorre na imediaticidade do contato. Ou seja, a avaliação do caso e o pensamento clínico vão delinear os objetivos terapêuticos e os recursos arteterapêuticos que poderão ajudar a alcançá--los, não só em relação às experiências e técnicas propostas, como também aos materiais sugeridos. Sem descartar, sem dúvida, o que se passa no aqui e agora do encontro terapêutico, que vai sempre se sobrepor a qualquer planejamento considerado previamente. No entanto essas ponderações ficam sempre de fundo, dando sustentação e contexto às figuras que emergem no contato, isto é, no que se passa no diálogo e na presença plena de ambos.

A ARTETERAPIA GESTÁLTICA

Todas as abordagens arteterapêuticas acreditam no valor terapêutico do processo criativo, mas diferem entre si em virtude das diferentes correntes psicológicas em que se fundamentam. A arteterapia gestáltica segue epistemológica e metodologicamente os princípios da Gestalt-terapia. É uma abordagem processual, em que tanto o processo criativo como o da reflexão sobre o que foi criado são considerados potencialmente valiosos do ponto de vista terapêutico.

O processo criativo é terapêutico *em si*, pois ao criar na arte o indivíduo se dá conta de que é capaz de criar e inovar na vida, isto é, de que pode ser ator e artista da própria existência. Ao atuar, ele se mobiliza energeticamente; o contato e a ação sobre os materiais despertam sensações e emoções e, ao ordenar, dar forma e estruturar esses diferentes elementos, ele também ordena e estrutura suas emoções, percepções, mitos, introjetos, desejos etc.

Por outro lado, ao processar posteriormente o que foi expresso, utilizamos várias técnicas e experimentos clássicos da Gestalt-terapia, como descrever um desenho, pintura ou colagem em primeira pessoa, dar voz aos diferentes elementos de uma composição, possibilitando que dialoguem entre si, e transpor a linguagem plástica para outras linguagens expressivas, como expressão corporal, dança, encenação, canto, poesia, escrita criativa, performance etc.

A psicologia da Gestalt nos inspira também a *con-figurar*, *des-configurar* e *re-configurar* a gestalt total por meio de mudanças na localização de certas figuras no espaço, aumento ou diminuição de tamanho dos elementos, acréscimo ou subtração de partes etc. – experimentos interessantes visualmente que sempre conduzem a *insights* e novas *awareness*.

Além disso, os psicólogos da Gestalt criaram o termo "isomorfismo" – literalmente, "mesma forma" – para pontuar a relação de similaridade entre nossas estruturas internas, nossa forma de nos relacionarmos com os outros e o mundo, com as formas que criamos. Assim, termos que descrevem qualidades da forma – leves ou pesadas, harmônicas ou conflitantes, suaves ou intensas, rígidas ou fluidas, definidas ou indefinidas, com ou sem clareza de limites e contornos, respeito ou não a limites, com ou sem movimento, centralizadas ou mais às margens, com organização estruturada, caótica, confusa, com traços firmes e decididos, ou hesitantes, trêmulos, retocados etc. – (Rhyne 1979, 1987), quando observados, conduzem a hipóteses isomórficas sobre o cliente em questão e sua relação com o campo em que está inserido.

Costumo dizer que o processo terapêutico em arteterapia visa o desenvolvimento do potencial criativo a partir do tripé EXPRESSÃO-IMPRESSÃO-TRANSFORMAÇÃO (Ciornai, 2010-2020).

"Expressão", aqui, é o ato de representar, de maneira pessoal e criativa e por meio da linguagem simbólica e da forma, sentimentos, percepções, ideias etc.; "impressão" no sentido da observação dos trabalhos realizados por si próprio, por artistas ou pelos demais componentes do grupo, seguida de compartilhamento, reflexões e elaborações sobre os trabalhos e imagens criadas; já "transformação" se refere à possibilidade de transformar simbolicamente na arte o que se quer transformar na vida. Em linguagem gestáltica, trata-se da possibilidade de configurar, desconfigurar e reconfigurar crenças, sentimentos, pensamentos pessoais e culturais, pois, à medida que a pessoa que expressa experimenta novas formas na arte, experiencia isomorficamente (isto é, da mesma forma) a possibilidade de vivenciar novas formas de ser e estar no mundo.

As imagens expressas nos trabalhos possibilitam o autoconhecimento e remetem a conteúdos pessoais mobilizados por meio da linguagem simbólica. Na abordagem fenomenológica em que nos pautamos, e que caracteriza a abordagem gestáltica em arteterapia, cada um interpreta a própria linguagem simbólica, pois, como explicita Umberto Eco, todo trabalho de arte é uma "obra aberta" – cada imagem pode ser associada a várias leituras e a vários significados. E o que almejamos alcançar é o sentido que faça sentido *para o cliente*. Além disso, é importante frisar que na arte, ao contrário dos sonhos, a expressão de conteúdos que escapam ao campo da consciência coexiste com formas e conteúdos conscientes e intencionais.

É importante ressaltar que, em nossa compreensão, o significado não está nem no olho de quem vê, nem no que é visto – caso em que um "dicionário de símbolos" seria suficiente para decifrar os sentidos de uma obra. Em outras palavras, o sentido não está nem oculto na obra, precisando de alguém que o decifre (como ocorreu com os hieróglifos com a descoberta da pedra de Roseta), nem apenas na mente do observador. *O sentido está na relação que se estabelece* ENTRE *o observador e o que é observado*, pois nosso olhar não é um receptor passivo de imagens. Segundo Arnheim (1974, 1996), discípulo dos psicólogos da Gestalt, nosso olhar é sempre criativo, sempre organiza e configura – razão pela qual a mesma imagem pode dar margem a várias leituras.

Desse modo, na arteterapia gestáltica, assim como em Gestalt-terapia, trabalhamos como "facilitadores" dos processos de desvelamento do significado de nossos clientes, utilizando para isso dois recursos: 1) a leitura da linguagem da forma aliada ao princípio do isomorfismo, que nos conduz a hipóteses isomórficas; 2) as técnicas conhecidas da Gestalt-terapia, como o ato de dar voz a cada elemento da obra ou à obra como um todo, o diálogo entre partes ou polaridades e a transposição de linguagem, isto é, transpor para encenação teatral, expressão corporal, dança, escrita poética e criativa etc. aquilo que se criou bi ou tridimensionalmente com recursos plásticos.

RELAÇÕES ENTRE CRIATIVIDADE E SAÚDE NA GESTALT-TERAPIA

A relação entre criatividade e saúde, entre funcionamento saudável e funcionamento criativo é básica na Gestalt-terapia (Ciornai, 1995), estando presente em todo o arcabouço teórico e metodológico da Gestalt-terapia.

Um conceito importante para os estudos sobre a criatividade é o de ajustamento criativo, desenvolvido por Perls, Hefferline e Goodman e amplamente utilizado por Gestalt-terapeutas e arteterapeutas que atuam na abordagem gestáltica e humanista. Para esses autores (1997, p. 44-45), todo contato é criativo e dinâmico: "Ele não pode ser rotineiro, estereotipado ou simplesmente conservador, porque tem de enfrentar o novo, uma vez que só este é nutritivo". E prosseguem: "Por outro lado, o contato não pode aceitar a novidade de forma passiva ou meramente se ajustar a ela, porque a novidade tem de ser assimilada"

Já Zinker (2000, p. 15-16), Gestalt-terapeuta bastante conhecido, define criatividade para nós, humanos, de maneira linda e emocionante:

> Criatividade é a celebração da grandeza de uma pessoa, a sensação de que ela pode tornar qualquer coisa possível. A criatividade é a celebração da vida – minha celebração da vida. É uma declaração ousada: "Eu estou aqui! Eu amo a vida! Posso ser qualquer coisa! Posso fazer qualquer coisa!" [...]. A criatividade é a expressão da presença de Deus em minhas mãos, meus olhos, em meu cérebro – em tudo que sou. A criação é a afirmação da divindade de cada um, de sua transcendência para além da luta diária por sobrevivência e do fardo da mortalidade, um clamor de angústia e celebração. A criatividade representa a ruptura dos limites [...]. A pessoa que ousa criar, romper limites, não apenas participa de um milagre como também percebe que, em seu processo de ser, ela é um milagre.

Para esse autor, criatividade e psicoterapia se relacionam porque possibilitam transformação, metamorfose, mudança.

Ostrower (2014), artista plástica e estudiosa da criatividade, também tem um olhar sensível e profundo sobre o processo criativo. Não é Gestalt-terapeuta; porém, de tudo que li sobre criatividade, nenhum autor ou autora me pareceu mais afinado com a visão gestáltica do que ela.

Para Ostrower, esse potencial humano se realiza no contexto cultural. Ao criar, o homem ordena, configura, compreende a si e à vida, relaciona, integra e busca significado, realiza algo e se comunica, transforma a si e à realidade à sua volta. A autora assim escreve sobre a importância da criatividade na vida humana:

Compreendemos, na criação, que a ulterior finalidade do nosso fazer seja poder ampliar em nós a experiência de vitalidade [...]. Criar representa uma intensificação do viver, um vivenciar-se no fazer; e, em vez de substituir a realidade, é a realidade; é uma realidade nova que adquire dimensões novas pelo fato de nos articularmos, em nós e perante nós mesmos, em níveis de consciência mais elevados e mais complexos. Somos nós a realidade nova. Daí o sentimento do essencial e necessário no criar, o sentimento de um crescimento interior, em que nos ampliamos em nossa abertura para a vida. (*op. cit.*, p. 28)

E não são esses os objetivos das terapias, sobretudo as de base humanista? O que Ostrower coloca como características do processo criativo é absolutamente análogo ao que delinearíamos como objetivos de uma boa terapia. E, parecendo nos responder, ela escreve:

Os processos criativos são processos construtivos globais. Envolvem a personalidade toda, representam um modo de a pessoa diferenciar-se dentro de si, de ordenar e relacionar-se consigo e com os outros. Ao criar, procuramos atingir uma realidade mais profunda do conhecimento das coisas. Ganhamos concomitantemente um sentimento de estruturação interior maior; sentimos que estamos nos desenvolvendo em algo essencial para o nosso ser. (*op. cit.*, p. 142-43)

Ou seja, criatividade, saúde, vida e autorrealização estão intrinsecamente interligadas. Os processos criativos favorecem o autoconhecimento, ajudam a lidar com o novo e possibilitam mudanças e crescimento.

MATERIAIS

Os materiais exercem um papel importante nesse processo; por isso, precisam ser escolhidos com cuidado para facilitar a expressão da dor, das emoções, fantasias e desejos. Essa é uma temática que em si daria outro texto. Basicamente, utilizo o referencial do Contínuo das Terapias Expressivas (ETC) – que aprendi com Kagin e Lusenbrink (1978, 1990) –, em que materiais são categorizados de acordo com o que favorecem em três níveis de funcionamento humano: sensório-motor, perceptual-afetivo e cognitivo-simbólico. Essa abordagem está amplamente descrita no livro *Percursos em arteterapia I* (Ciornai, 2004, p. 104-11), de modo que não vou me repetir aqui. Porém, acrescento que o princípio do isomorfismo nos ajuda bastante a considerar a indicação de materiais e técnicas, pois as características físicas dos materiais facilitam esses processos no cliente – por exemplo, materiais que fluem ajudarão a fluir, materiais maleáveis ajudarão a desenvolver a maleabilidade, e assim por diante.

A ESTRUTURA PARA ATENDIMENTOS EM ARTETERAPIA

Os atendimentos em arteterapia podem ser estruturados em propostas temáticas ou em propostas abertas (quando, a partir de um aquecimento, um tema emerge do grupo) e seguem, em geral, as seguintes etapas (Ciornai, 2004):

- acolhimento;
- aquecimento;

- emergência do tema individual ou grupal (ou de que a criação será sem tema predeterminado);
- envolvimento e elaboração da atividade plástica;
- eventual complementação ou transposição para outra linguagem expressiva;
- observação dos trabalhos, compartilhamento e diálogo com o terapeuta ou com o grupo (quando o atendimento ocorre no contexto grupal), seguido de elaborações terapêuticas;
- eventualmente, desdobramento em um segundo trabalho (individual ou grupal);
- fechamento.

As atividades pautam-se na participação e no desenvolvimento do processo criativo, tendo os seguintes objetivos em cada etapa (Barros *et al.*, 2017):

1. Buscar a criatividade: estimular, por meio de atividades plásticas, a livre e espontânea experimentação prazerosa de materiais e técnicas, e/ou experimentar expressar sentimentos, percepções, memórias ou fantasias através de formas e símbolos da linguagem expressiva, o que implicará o entrar em contato consigo mesmo em processos de autoconhecimento.
2. Impulsionar a criatividade: potencializar habilidades e talentos pessoais, estimulando os participantes a experimentar na arte – e, analogamente, na vida – o processo de construção de novos repertórios, gerando novas experiências, soluções e possíveis novas estratégias, opções e intervenções pessoais nos contextos em que vivem.

3. Empoderar: a arte nos ensina a criar, a ver e perceber; por meio da atividade expressiva, o cliente se sente orgulhoso do que realizou, capaz de criar o novo, o belo, e de transformar suas realidades projetadas na arte.
4. Dialogar e refletir: ao criar e refletir sobre os processos e expressões plásticas, as pessoas "ampliam o conhecimento de si e dos outros, desfrutando do prazer vitalizador do fazer artístico" (Ciornai, 2004).

CONCLUINDO

Recursos de arteterapia podem enriquecer o atendimento de Gestalt-terapeutas em terapias individuais, de casal, em contextos grupais, comunitários ou institucionais, somando-se aos experimentos mais usuais da prática gestáltica. Em tempos em que, em grande parte da população, a sensibilidade humana anda tão embotada, ajudam a despertar emoções, delicadeza e a poesia individual e coletiva. A lançar um novo olhar para a natureza, o mundo e as pessoas com que nos relacionamos – muitas vezes, da forma exclusivamente utilitária que Buber denominou de "Eu-Isso".

Na apreciação mútua de trabalhos, tais recursos nos permitem ver, compreender e apreciar a singularidade de cada indivíduo, transpondo hábitos de indiferença em relação ao outro e estabelecendo relações mais empáticas e humanas com cada um e com o todo a que pertencemos. Sobretudo, nos ajudam a recuperar a delicadeza em relação a nós mesmos, o encantamento pela própria vida e pelo mundo onde vivemos, experienciando o sublime prazer de trazermos novas cores, formas, movimentos e melodias à nossa existência.

REFERÊNCIAS

American Art Therapy Association. "Definition of Art Therapy". jun. 2017. Disponível em: https://www.arttherapy.org/upload/2017_DefinitionofProfession.pdf.
Bachelard, G. *A água e os sonhos – Ensaio sobre imaginação na matéria.* São Paulo: WMF Martins Fontes, 2015.
Barros, H. et al. *Ateliê arteterapêutico – Contribuições potenciais aos atendimentos da clínica psicológica do Instituto Sedes Sapientiae.* Manuscrito não publicado, 2017.
Ciornai, S. "A relação entre criatividade e saúde na Gestalt-terapia". *Revista do I Encontro Goiano de Gestalt-terapia*, ITGT, 1995, p. 72-76.
_____. PowerPoint para aulas de arteterapia gestáltica em centros de formação de Gestalt-terapeutas, 2010-2020.
_____. (org.) *Percursos em arteterapia I.* São Paulo: Summus, 2004.
Ostrower, F. *Criatividade e processos de criação.* Petrópolis: Vozes, 2014.
Perls, F. S.; Hefferline, R.; Goodman, P. *Gestalt-terapia.* São Paulo: Summus, 1997.
Rhyne, J. *Drawings as personal constructs – A study in visual dynamics.* Ann Arbor: University Microfilms International, 1979.
_____. "Gestalt art therapy". In: Rubin, J. (org.). *Approaches to art therapy.* Nova York: Brunner/Mazel, 1987.
_____. *Arte e Gestalt – Padrões que convergem.* São Paulo: Summus, 2000.
Zinker, J. *Processo criativo em Gestalt-terapia.* São Paulo: Summus, 2007.

2
Arte, ousadia e deflexão: práticas para a fluidez do olhar

OTAVIO DUTRA DE TOLEDO

Ao pesquisar o conceito de arte, logo se descobrem tantas definições quantas forem procuradas. Algumas delas recorrem à teoria da Gestalt, enfatizando a pregnância da forma e a influência fenomenológica do observador, daí a interação entre este e o resultado objetivo da produção. Um significado que foge a esse padrão e nos interessa neste ensaio é o da arte como abstração da realidade, como poder de formar um novo universo.

Confrontada com o familiar enunciado "O todo é diferente da mera soma das partes", a arte como criação de universos nos convida a percorrer o caminho inverso ao do enunciado: "Cada parte é passível de formar um novo todo". Exemplos disso são a fotografia e a pintura, do abstracionismo ao realismo mais radicais. Ao abstrair uma parte da realidade, separando um local e um instante específicos, o fotógrafo e o artista plástico organizam uma nova composição de elementos, – como a intensidade da luz, a profundidade e o enquadramento – demostrando que o propositai e o acidental podem se encontrar para formar um novo todo.

Entre o terapeuta e o cliente, a arte não se apresenta apenas nos recursos terapêuticos, mas também nos acervos de ambos, no que acontece em uma sessão ou *workshop*, no que é proposto e em seus eventuais resultados – formam-se, constantemente, "novos todos" que, fluidos, transformam ou ressignificam uma história pessoal. É assim, por exemplo, que o motivo de uma irritação ou vergonha é superado pela estética compartilhada por ambos em certa situação. É quando sentimentos adversos se tornam engraçados e tudo vira um código, um terreno conhecido entre os interlocutores, terapeuta e cliente.

No trabalho terapêutico, a arte pressupõe um paradoxo: a concomitância entre a suspensão fenomenológica e o olhar treinado, entre o olhar curioso e o olhar acostumado às surpresas, ao desfrute e às mudanças na velocidade que a fruição costuma requerer. Cada experimento é um começo, mas quem já teve contato com diversas áreas da cultura e, mais ainda, quem não se limita a uma única cultura ou forma de arte, estará, de início, mais instrumentado para enfrentar o inesperado, o jamais visto, bem como para reagrupar pedaços de velhas experiências, releituras, recomeços, retornos, idas, voltas e despedidas. Uma experiência de transcendência do concreto é por vezes a chave de várias manifestações da criatividade no porvir. Primeiro se faz a varinha; depois, a mágica pode ser infinita. O repertório de cada pessoa, em algum ou em vários aspectos, apresenta familiaridade com atividades simbólicas, fantasiosas e criativas; tanto que, muitas vezes, o primeiro trabalho do terapeuta é criar condições para que o outro valorize o próprio universo, reconectando-se a ele e desejando sua ampliação.

Da mesma maneira, um experimento nos permite, por exemplo, quebrar um discurso estereotipado, ao enfatizar uma frase, uma palavra, certas entonações e conjugações de verbo – tudo a ser experenciado de acordo com o convite de quem está propondo a atividade. Um dos exercícios é convidar o participante a expressar aquele conteúdo, por vezes batido, mecânico e cristalizado, em uma língua que não existe, resultando na procura de um tom que expresse um momento, uma queixa, um sentimento. Mais além, podemos bloquear a emissão de palavras, para que o todo daquele organismo se reorganize e consiga se comunicar: usar mímica ou expressão facial, tocar no interlocutor, apontar um objeto, mudar de posição, respirar, suspirar.

Muitas vezes o terapeuta pede licença à arte e ao artista quando usa em terapia uma produção cujo propósito original não tenha sido o autoconhecimento ou a comunicação, pois, eventualmente, a obra em questão é reduzida a algo muito explícito, sendo esmiuçada até revelar algo que de outra maneira teria permanecido mais vago, multifacetado, abrangente. A comunicação terapêutica não permite ambiguidades pela simples fruição, como é permitido no exercício de apreciar ou participar de um evento artístico; o discurso vago e excessivamente abstrato é adequado apenas quando extremamente necessário e com todo o aparato de segurança, como um chão firme e bem sinalizado por onde se possa ir e voltar, se separar e se reencontrar. A simples fruição, no entanto, é sempre bem-vinda quando o objetivo é praticá-la, convidar a ela quem habitualmente não a exerce.

Embora o acaso seja nosso obrigatório companheiro de empreitada, às vezes ele chega sem ser convidado, quando a prospecção de temas para o trabalho passa por um palpite, uma peça fora do quebra-cabeças habitual do processo de cada um (em grupo, esse convite é constante – por exemplo, quando se acolhe o conteúdo de um dos participantes em detrimento dos outros). De qualquer modo, o acaso deve ser explicitado, como: "Vou fazer uma pergunta, mas não sei se isso vai nos levar a algum lugar, a alguma descoberta", ou: "Vou propor tal assunto, apenas porque nunca falamos nisso".

Em *workshops*, costumamos pedir aos participantes que tragam um objeto representativo do momento recente ou um que tenham vontade de isolar da realidade externa ao experimento, para simbolizar uma história ou um estado de espírito. Em si, esse processo de escolha já costuma fazer que a pessoa aumente o contato consigo mesma e com o momento presente, o que é um bom pretexto, um bom começo de ressignificação do que se está vivendo.

Outro recurso que tem dado resultados surpreendentes é o "safári fotográfico", realizado no percurso de casa ao curso ou ao consultório. Através do fotografar fácil, acessível e instantâneo, muito pode ser representado: paisagens, viagens, praias, montanhas, um piano pesado, pessoas desconhecidas e pessoas conhecidas... tudo passa a ser portátil. Pedir que os clientes tragam imagens significativas, ou dignas de ser apresentadas, além de gerar um precioso material que fala do momento e local de escolha, marca o começo de uma afinação do olhar, do prazer de fragmentar e recompor, isolar e religar, enfatizar uma percepção que muda completamente as possibilidades do olhar.

Poucas transformações são feitas sem ousadia, sem o atrevimento de incluir a inadequação. Mas ousadias terapêuticas que buscam transformações se ancoram em e são facilitadas principalmente pela experiência advinda da prática constante.

A afinação do olhar – assim como a afinação da orquestra – passa por ruídos até que se ache o tom. É por isso que enfatizamos que é desejável, e quase sempre necessário, abandonar os conceitos cristalizados do belo, do aceitável, e questionar os dogmas que poderiam ser enunciados num comentário como "Onde já se viu?" – expressão que, de tão ouvida, não mais aparece como inimiga da presentificação, pois implica que só o velho seria aceito e, desse modo, invalida toda e qualquer novidade.

Portanto, a afinação do olhar se dá no treino, que não exclui o novo e a diversidade, que tenta fazer as pazes com os estranhamentos, que busca a liberação de resultados toscos e feios em detrimento do belo fácil ou autoproclamadamente inatingível, numa profecia autorrealizável que pode ser resumida em "eu não tenho jeito pra isso". O bom treinamento do olhar tenta excluir a subserviência à suposta crítica alheia, à tentação da vontade de ser aceito ou aplaudido. A boa sensibilização do olhar busca sempre outros jeitos, faz estrangeiros os caminhos habituais, integra as possibilidades do ângulo do olhar alheio sem por ele se balizar. Muitas vezes, para que isso se dê, é necessária uma desaceleração – a procura e criação de espaço para os estados de fruição e estesia, mesmo na travessia de eventuais terrenos incômodos.

Ato de desfrutar, de sentir prazer sem as exigências do belo ou do perfeito, mas pelo contato com o que se sente (estesia), o fruir como dinâmica terapêutica pode ser considerado uma das maneiras de se entrar em estado de presentificação. Às pessoas em momentos de ansiedade é indicado incitar esse estado, em que o entorno é apreciado com senso estético, humor, olhos ingênuos ou críticos – mesmo para o já conhecido –, em que o próprio corpo pode assumir novas posturas de interação com o meio e romper fronteiras. Muitas vezes, a presentificação é alcançada por meio da dor e do desprazer e, por exemplo, algum consequente alívio aproxima a pessoa do estado de fruir (um incômodo e doloroso tratamento dentário leva à sensação de prazer pelos dentes livres de dores, tártaro e demais impurezas).

Deflexão, fruir e fluir. Seria a deflexão antagônica ao fruir? Em um primeiro momento, não. Por exemplo, com um guarda-chuva conseguimos usufruir de um passeio por Londres em um típico dia de chuva. É, portanto, possível conhecer o diferente, o que é difícil e negado, sem que seja necessário aderir a ele, mas por meio de alguma aproximação. Quem já esteve no mirante das Cataratas do Iguaçu provavelmente reconhece a importância dos anteparos de proteção para que se possa estar em um ambiente seguro, mas que inclua emoção; algumas pessoas, mesmo com os corrimãos, não conseguem se aproximar das quedas d'água, enquanto outras fazem rapel perto da cachoeira. Há quem não tenha medo de grandes alturas, mas se paralise ao ver uma cobra. O nível de proteção é individual; varia caso a caso.

Por outro lado, quando a deflexão se impõe como hábito, ela deve ser evidenciada, modulada, reavaliada e até escanteada. E o fluir, portanto, se dará apenas com todos os eventuais exageros incluídos.

A definição de deflexão passa pela metáfora do defletor: o que desvia o caminho. Em uma lareira, o defletor é aquela peça que deixa entrar a quantidade suficiente de ar para avivar ou esmorecer o fogo, que cuida para que a temperatura não passe do ponto e ponha a perder o processo. Esse desvio também pode ser caracterizado pelo circunlóquio, por dar voltas necessárias ou desnecessárias para chegar ao assunto, preparando o terreno com diplomacia e delicadeza. A arte tem sido de enorme valia para se introduzir suavemente assuntos que, de outra maneira, seriam árduos, sofridos, incomunicáveis. Assim, eufemismos, circunlóquios, exageros, caricaturas e até o próprio humor estão a serviço da transformação de um ponto de vista, da criação de um possível canal de trocas e comunicação entre os participantes do experimento ou sessão.

Uma cliente, que chorava desde o primeiro contato e não conseguia explicar por que foi convidada a completar a seguinte frase escrita: "Era uma vez uma menina que...''; ela continuou: "...queria fazer terapia, mas não conseguia falar de si". A dinâmica prosseguiu com o terapeuta escrevendo: "Mas ela achava que...", "... seria bom se o terapeuta adivinhasse", "Até que um dia ela..." Nesse momento, a cliente pediu ao terapeuta que assistisse ao filme *O príncipe das marés*. Esse filme contou ao terapeuta que a dificuldade era abordar um abuso sofrido na infância. Lentamente, o diálogo foi se instaurando – primeiro por escrito, nessa atividade em que cada um escrevia uma frase. A comunicação evoluiu para conversas presenciais intercaladas com cartas e, enfim, o diálogo presencial ganhou seu lugar protegido e garantido. Em outros casos, os impedimentos não diziam respeito ao conteúdo, e sim às condições físicas da pessoa: a paciente deficiente auditiva falava e o terapeuta comentava por escrito, recurso que também pode ser usado em caso de limitante transtorno de fluência. Uma cliente francesa, que morava no Brasil havia alguns anos, entendia, mas não falava o português; o terapeuta, apesar de compreender francês, obviamente se expressava melhor em português. Assim, cada um falando em sua língua natal, a comunicação se deu, da melhor forma possível.

Um importante ensinamento que se apreende em situações como essas: há momentos da terapia que pedem um "remendo" pelo uso da arte, como foi a elaboração do texto conjunto do primeiro exemplo. Quer dizer, a situação condiciona a busca recíproca de adaptações, e muitos recursos do ajuste criativo vêm do somatório do repertório pregresso de cada um, além da vontade genuína de trocar o que for possível.

Por outro lado, o excesso de cuidado pode ter efeito oposto e ser deletério, como a lubrificação em demasia, que inviabiliza, inclusive, o funcionamento das máquinas. Tanto que há expressões populares para descrever, por exemplo, uma pessoa escorregadia, alguém que foge do assunto, como em "esse cara é liso!" – alguém difícil de se pegar.

Por vezes, a atitude excessivamente defletora é também uma cristalização, uma maneira que a pessoa desenvolveu para se proteger de invasões, exposição excessiva ou críticas. Esse exagero no amenizar torna a vida morna e monótona, situação que pode chegar ao terapeuta como queixa ou até mesmo levá-lo a ter dificuldade de delinear os contornos daquela pessoa, seus limites, suas características. Essa camada protetora deve ser enfatizada e integrada, pois, até segunda ordem, é parte da pessoa. Muitas vezes, por exemplo, o próprio circunlóquio tenta delimitar uma ausência que precisa ser reconhecida e acolhida, enquanto o processo amadurece as condições de coragem, desapego, enfrentamento de vergonhas e medos para dar lugar ao novo e à sua decorrente integração.

Desse modo, por vezes a deflexão faz o papel de termostato, mantendo a temperatura em intensidade tal que não esfrie e inviabilize a atividade; ou que permita o arrefecimento para que não se passe da temperatura indicada e acabe por queimar o processo; ou, ainda, que dê passagem ao enorme calor requerido para a fusão de elementos ou o derretimento de obstáculos.

A arte pode estar na tentativa de fluidificar as cristalizações da dinâmica "figura e fundo" e ainda aparecer como atividade indicada para ajudar a amadurecer os impasses, como um tapete de Penélope, tecido de dia e desfeito à noite, à espera de algum Ulisses. Poucas metáforas são mais precisas para descrever o ritual de inclusão e afastamento do que as pinceladas do artista que respeitam o tamanho do braço e o alcance do pincel, mas pedem também aqueles dois passos para trás, a fim de não se perder o contexto geral. A arte ajuda a achar os pares, enquanto valoriza o que cada um tem de ímpar; integra o inusitado, o precioso, o necessário, o esquisito; permite agregar o aplauso ao vexame, facilita a presentificação e, como processo ou produto, de maneira ideal, leva-nos a uma das formas mais sublimes de se estar presente: a fruição.

Ourivesaria das palavras. Textos escritos, ouvidos e lidos trazem material bruto para contribuir, facilitar, e às vezes permitir a comunicação necessária entre as partes envolvidas em um experimento e no processo terapêutico, eventualmente longo. Até mesmo um dicionário pode servir para despertar o interesse pela sintonia fina da comunicação, sem falar no dicionário etimológico, que nos auxilia no percurso que existe entre origem, evolução e destino das palavras.

Muitas vezes, precisamos de tradução: a um cliente que apresentava constante rebaixamento de humor, o terapeuta, num gesto espontâneo, disse que ele estaria macambúzio. Quando, curioso, o cliente o questionou sobre essa expressão, o terapeuta o convidou para uma consulta ao dicionário. Ao nomearem um estado de espírito preciso, ambos obtiveram ali uma maior *awareness* do conceito e ampliaram seu decorrente poder transformador. Essa simples prática tem o poder de, a cada descoberta, aprofundar a compreensão mútua, tornando-a mais clara e fluida. A procura da intersecção entre os acervos dos interlocutores é crucial para não nos perdermos na experiência. A pesquisa, no dicionário, da palavra angústia, por exemplo, que vem do grego e quer dizer aperto, opressão, falta de espaço, faz sentido para uma pessoa que sente dificuldade de entrar em contato com o próprio corpo ou com outras situações opressivas. O contato com essa definição acaba por encurtar caminhos, trazer uma melhor acuidade de comunicação, além de promover a *awareness* citada.

Ao preparar o cliente ou o grupo para um experimento, é preciso "fazer o chão", deixá-los à vontade para entrar em território desconhecido sabendo onde estão pisando. Ajuda lembrar que aqui não estamos no território do certo ou errado, e sim do espontâneo/forçado, coerente/incoerente, adequado/inadequado, fácil ou desafiante. Até mesmo ao comentar as situações, o observador deve estar muito atento para a adequação do comentário. Uma pergunta como "Você contou a ela o que fez?" pode ser facilmente confundida com "Aconselho que você conte a ela" ou "Você já deveria ter contado a ela" – o que pode resultar, na sessão seguinte, em "Fiz aquilo que você me aconselhou", embora o terapeuta nada tenha aconselhado.

Outras vezes, a palavra é elemento repetitivo a serviço da inatividade. Ao identificar tal situação, o terapeuta pode recorrer ao teatro e à dança como recursos contra a estagnação e a incompletude. Uma cliente que sempre faltava à sessão explicou que naqueles dias não aguentaria ouvir a própria voz. Essa afirmação é obviamente um pedido da cliente ou das circunstâncias para tentarmos outras maneiras de nos conectar e comunicar. Nesse caso específico, foram adotadas outras formas de comunicação, até que se descobriu e abordou o aspecto que estava excessivo ou até abusivo na interação. Também se reassegurou que tanto o assunto quanto o tempo da sessão estariam sempre no controle da cliente. Mais uma vez, a deflexão a serviço de viabilizar o trabalho.

Excesso de reflexão, "outroladismo", paralisia por exagero de ponderações pedem boa sinalização para que não nos enganemos achando que estamos indo longe quando estamos andando em círculos. O convite a que se explique alguma coisa apenas por gestos ou que se dance ou caminhe pela sala costuma, na mais leve das consequências, resultar em um contato maior com o exagero paralisante, a inadequação, a vergonha, a desestruturação, o choro ou o riso de um ridículo compartilhado. Aqui, a arte consiste em perverter o já conhecido, em forçar um novo caminho, por mais tosco que este pareça no início.

ALGUNS PRÉ-REQUISITOS PARA SE INICIAR UM EXPERIMENTO

Acostumados que estamos às prospecções da prática terapêutica, corremos o risco de não nos sintonizarmos com a eventual inexperiência dos participantes. Um pedido simples como "feche os olhos" pode ser, para algumas pessoas, profundamente ameaçador. Portanto, é sempre bom lembrar alguns pressupostos que devem estar inicialmente claros para quem propõe uma atividade nova ou não usual:

Adequação

Ao propor um experimento, a consigna deve ser inteligível, clara, conferida pelo diálogo. Mesmo assim, às vezes há ruído na comunicação ou na compreensão. Quando a dinâmica proposta é entendida de outra maneira, a pessoa pode inaugurar uma nova e valiosa linha de prospecção – ou, mais frequentemente, instaura-se o caos. Denunciada a confusão de uma ou ambas as partes, parte-se para um recomeço, sempre lembrando que o que mais interessa é o processo.

Cumplicidade

Não perder os participantes de vista, eis outro aspecto de se fazer o chão. Aqui, é preciso ter cuidado para não se deixar levar pelo húbris, encantando-se com a técnica e cometendo o descuido de privilegiá-la em detrimento de atender às necessidades daquelas pessoas naquele momento. É recomendável ter várias propostas de trabalho para não ceder à tentação de "fazer caber", podendo ou não usar as cartas de um "baralho de possibilidades", de modo que se possa escolher bem a carta a ser usada em cada situação.

Timing

Não ceder à ansiedade, o que poderia, por exemplo, transformar um *workshop* numa maratona exaustiva e pouco produtiva. Daí a forte necessidade de se considerar o fundo para dar lugar à cumplicidade dos silêncios, dos hiatos, da preciosa respiração que deve acontecer de maneira intercalada ou concomitante com a atividade proposta. Não se podem esquecer também os exercícios de concisão, a exemplo de um haicai, de um quadro de Mira Schendel, de um Miró – a exemplo dos publicitários que, ao contrário dos terapeutas, são sempre desafiados a dizer muito com poucas imagens ou pouquíssimas palavras.

Também não se deve ceder ao discurso vago, impreciso, verborrágico, lento, interminável. A Gestalt-terapia nos dá a possibilidade de tentar romper ativamente uma estagnação com propostas simples: "Tente expressar o que sente em uma frase, em uma palavra, em um gesto. Continue o que está dizendo, mas sem palavras; use mímica".

Por fim, nessa lista que tenta sinalizar terrenos escorregadios – e sabendo que mesmo assim podemos escorregar –, acrescentamos a necessidade de evidenciar o que está acontecendo; revelar a verdade de um deslize. Desse modo, podemos nos aproximar de um recomeço, de uma nova cumplicidade ou um novo nível de intimidade pelo compartilhamento do erro – sem corrigir como quem usa uma borracha, pois aquele momento aparentemente ruim pode se tornar parte importantíssima do processo.

Um dos meus primeiros empregos, quando ainda era estudante do ensino médio, foi como assistente de uma professora de artes que ministrava aulas para crianças num condomínio residencial. Foi-nos destinado um salão de festas, com tapetes e móveis impecavelmente brancos, para a atividade com os alunos. Não funcionou; a impecabilidade do local inibia tanto alunos quanto professores. A atividade só vingou quando, depois do primeiro acidente em que uma lata de tinta batizou um dos sofás, retiramos os tapetes; o interesse das crianças apareceu e o curso começou (eu deveria ter fotografado aquele sofá, uma obra de arte!). Em uma antiga Bienal de São Paulo havia um artista que pintava frases como "O mais difícil na arte é limpar o pincel". Essa ideia se expande num paradoxo: às vezes não é fácil, mas é imprescindível sujar também o pintor.

Pretexto

Sempre que possível, o pretexto – que pode ou não ser parte da consigna – deve também enfatizar a forma. Por exemplo, para lidar com uma eventual necessidade de desacelerar a velocidade imposta por um deslocamento na cidade, utiliza-se um elemento ou atividade que nos ponha em contato com a calma, o capricho – como uma iluminura, uma daquelas requintadíssimas ilustrações encontradas nos antigos manuscritos, em que cada início de capítulo é celebrado pela primeira letra minuciosamente adornada, mensagem de quando se tinha todo o tempo do mundo para se concentrar em apenas uma coisa.

A poesia, característica abstrata que pode vir em palavras ou não, muitas vezes nos atinge pela maneira profunda e completa como revela aspectos preciosos, naturais, enquanto dá conta de aspectos árduos e complexos que dificilmente seriam enunciados a contento. O que teria levado Fernando

Pessoa a criar a "Nossa Senhora das coisas impossíveis que procuramos em vão"? A desesperança que leva um cliente a trazer uma imagem como essa fica muito bem representada, em precioso formato poético.

Caberia também aqui citar outro exemplo cheio de arte em que, com uma simples colagem, abstraída de um trecho de ópera, ao não querer dar continuidade a uma dessas polêmicas estúpidas que grassam e fermentam nas mídias compartilhadas, a pessoa apenas postou: "Nessun dorma! Ma il mio mistero è chiuso in me" (Que ninguém durma! Mas o meu mistério está guardado em mim). No contexto da ópera *Turandot*, os insones deveriam, em vão, tentar desvendar o mistério do príncipe desconhecido, que só seria revelado aos ouvidos da princesa amada no amanhecer.

Algumas coisas muito difíceis podem, em um primeiro momento, ser apenas anunciadas, como um segredo que espera o dia. O detentor do mistério tem suas razões, mas nesse momento ele já se aproxima mais de sua revelação, que pode acontecer ou não, dependendo da necessidade, do cabimento, do merecimento do interlocutor.

Relevância de obviedades

Nada nos orienta mais do que o óbvio: Norte, Sul, Leste e Oeste. Na arte ou fora dela, um Gestalt-terapeuta nunca pode perder o óbvio de vista. Aliás, em resposta à pergunta "como deve ser o relógio dos profissionais da nossa linha?", os alunos de um curso trouxeram diversas reflexões, algumas muito boas. Um deles sugeriu um mostrador que, em vez dos números, trouxesse sempre a palavra "agora". Ao ser apontado que faltaria o "aqui", chegamos exclusivamente ao modelo analógico, pois a localização do ponteiro dos minutos durante uma sessão daria a precisa Gestalt do percurso a cada momento. Vocês já repararam que em propaganda de relógios analógicos quase sempre os mostradores marcam 10 horas e 10 minutos? Parece que isso se deve mais à boa forma, à simetria; mas por que não 11 horas e 5 minutos? Mistérios da pregnância da forma.

Também os recursos artísticos devem acompanhar o "espírito do tempo". Desde o fim do século 20, observa-se em consultório uma notável liberação diante de assuntos importantes e eventualmente constrangedores. Por exemplo, após a apresentação de um capítulo da série de TV *Sex and the City*, a masturbação feminina passou a ser retratada de forma leve, natural, em primeira pessoa. Havia ali um vibrador em forma de coelhinho que se tornou uma metonímia, um código deflexivo para se tocar no assunto entre as pessoas que tiveram contato com a série. A arte estava em como o tema era abordado: daquele ângulo, as clientes passaram a achar o assunto natural, bonito, engraçado, útil e até glamoroso.

As quebras de tabu são como os ponteiros das horas, a gente sabe que se movem, mas em cada instante parecem paradas. Muitas vezes, infelizmente, há o movimento pendular em que se veem o avanço e o recuo, mas raramente o recuo é definitivo. Assim, filmes, poemas, letras de música são trazidos pelo cliente ou evocados pelo terapeuta como forma de expressar coisas complexas ou embaraçosas, ou até mesmo porque alguém percebeu que aquela seria a "melhor maneira de se expressar um conteúdo" – sendo esta, inclusive e não por acaso, uma das milhares de definições de arte. Às vezes o caminho é inverso, e qualquer um dos participantes (em grupo ou individual) pode pescar pérolas no que foi dito por ele e pelos outros, sublinhar, destacar frases e histórias, extrato que forma um novo todo.

Baralho de opções
O Gestalt-terapeuta não pode entrar em ação terapêutica com um roteiro preconcebido. Uma das maneiras de enfrentar a angústia do vazio diante de horas de *workshop* à frente é levar o que pode ser descrito como um "baralho de opções", várias provocações, pretextos para que as pessoas se conheçam, para que saiam do comum – e não seria também plausível dizer que arte é o que nos força ao incomum? Se alguém nesse momento imaginou uma exceção, isso é o que faz incompletas todas as definições de arte. As atividades devem prosseguir como uma criança que, ao receber um presente, acha mais divertido brincar com a caixa ou o papel do embrulho.

Tais provocações evocam um livro de receitas, algumas inclusive desenvolvidas de maneira acidental; ou alguém duvida que um dia o *petit gateau* foi um bolo tirado do forno antes da hora? As receitas culinárias se submetem à realidade do mercado, da sazonalidade de frutas e legumes, da temperatura do ambiente, da estação do ano, do momento do dia em que a refeição se dá. É preciso o nome "bolinho de chuva", embora ele possa tranquilamente, sorrateiro, caber também em um dia de sol.

Muitos "nãos" e o sim. Nossa prática psicoterapêutica é recheada de "nãos" necessários: cuidado para não projetar, não aconselhar, não inventar doenças para depois tratar, não fazer planos para seu cliente, não desrespeitar suas crenças, não usar o tempo da sessão para nada que não seja de rigoroso interesse do cliente. A criatividade, por outro lado, nos proporciona um enorme "sim". Daí aquelas tentativas que, com o devido chão, o devido contrato entre as partes, podem enriquecer as perspectivas de pessoas que enfrentam momentos inférteis, sensação de desimportância, vergonha, medo, dificuldades.

Dizem que a dificuldade é a mãe da criatividade; o desespero também. Muitas vezes, o laboratório que é cada sessão pode se transformar numa procura em que todos os participantes se responsabilizam pelo processo, seja no tatear de um detalhe ou de uma palavra mais justa, seja na verbalização de uma metáfora mais precisa ou de um provérbio que surge dos confins da memória e por vezes é atualizado naquele momento. Um exemplo: ao se debater com um pessimismo persistente, uma pessoa, sem perceber, parodiou: "A esperança é a única que morre".

Joseph Zinker (2007, p. 15-16) destaca que "a criatividade não é somente a concepção; é o ato em si, a realização do que é urgente, do que exige ser anunciado [...] representa a ruptura dos limites [...] é um ato de coragem que diz: estou disposto a me arriscar ao ridículo e ao fracasso para experienciar este dia como algo inédito.

Inclusão e afastamento

Se uma das principais maneiras de lidar com comportamentos repetitivos, insatisfatórios e dispendiosos em tempo e energia é pervertendo o modo de fazer e ludibriando a percepção habitual, o humor é um dos grandes recursos. Aliás, muitas vezes a estrutura de uma piada é de figura-fundo: duas meninas de quatro anos estão conversando e uma diz para a outra:

"Ontem encontrei um preservativo no pátio", ao que a outra pergunta, "O que é pátio?" Ou os tradicionais quadrinhos publicados nos jornais, em que os movimentos de tese, antítese e síntese surgem em divertida e muitas vezes profunda dialética. O humor perverte e modifica certezas, permite a coexistência de antagonismos absurdos, como nos paradoxos. Citando o grande Groucho Marx, escritor e cômico: "Eu jamais frequentaria um clube que me aceitasse como sócio" – máxima que ilustra muito bem, por exemplo, a situação de pessoas que, sem perceber, fogem dos relacionamentos por meio da escolha constante de candidatos não disponíveis.

Recursos artísticos também podem visar uma mudança de foco, evitar o *staring at*. Essa expressão, que descreve um olhar exagerada ou exclusivamente focado no objetivo, é descrita no livro *Gestalt-terapia* (1997), de Perls, Hefferline e Goodman, quando se aborda o problema dos pilotos da aviação de guerra com dificuldades de se aproximar da pista na hora da aterrissagem: sugeriu-se, então, que os pilotos não olhassem apenas para a pista, mas intercalassem e tentassem incluir o que havia ao redor dela, o que deu ótimos resultados; literalmente, inclusão e afastamento enquanto se faz a aproximação.

Polaridades

Se é verdade que sempre trabalhamos com polaridades, é necessário procurar uma maneira de tentar restaurar a fluidez da dinâmica e da comunicação entre os extremos, caso os polos estejam separados, rompidos, ou um deles, sendo negado, mostre-se obstruído ou proibido. Os recursos artísticos podem estimular essa restauração. Na polaridade caos/ordem, em que, por exemplo, a situação se cristalizou em determinada ordem desinteressante, desestimulante, incômoda, pouco criativa – enfim, insatisfatória –, procura-se perverter essa estabilidade. A ousadia e a contenção, a prudência e a volúpia, a compulsão e o comedimento, o caos e a ordem pedem iguais oportunidades de manifestação. Uma cliente, com intrusivos pensamentos obsessivos, ao ser estimulada a desmoralizar as exigências e os comandos desses pensamentos, conseguiu um título que muito nos ajuda até hoje: "São comentários de uma amiga chata". O verbo que usamos para lidar com a rigidez é "desmoralizar"; desmoralizá-la e dessacralizá-la. Logo após essa rigidez ter se tornado figura, brincamos com ela: "A chata de novo?" "A chata nunca acerta", "Vamos tentar integrar a chata enquanto não caímos na conversa dela". Na polaridade caos/ordem, aqui, vemos o predomínio de UMA ordem específica, e não de uma das possíveis formas de se enfatizar e se ordenar os elementos. A cristalização em determinadas ordens pode caracterizar a falta de maleabilidade do obsessivo, havendo muitas vezes o apego a esse polo apenas por temor ao caos ou em reação a ele.

Caça aos introjetos
É uma atividade obrigatória, inspiradora, crucial. Como os vírus cavalo de Troia dos computadores, eles entram no sistema por meio de qualquer outra coisa aparentemente louvável ou pertinente, ou simplesmente pela repetição ou mesmo à força. Às vezes vale a pena dedicar alguns instantes a tomar contato com frases corriqueiras que aprendemos inteiras e são ditas candidamente, como "quem procura acha", visando enaltecer a imobilidade e a ignorância. Você já se ateve ao significado de frases como "homem não chora" ou "coisa de marica"?

O que você sente ao ouvir palavras como "biscateira", "vagabunda", "malcomida", "à toa"? Esses são exemplos dos inimigos da livre expressão das possibilidades de cada um. Alguns desses exemplos, nem é necessário comentar, estão a serviço de um modelo cultural desumanizador do gênero masculino, enquanto outros visam inibir a livre expressão da sexualidade feminina. Que os deuses e os diabos nos livrem dos malignos introjetos, que o novo possa sempre ser levado em consideração.

A mudança de ponto de vista, um dos efeitos da dinâmica "inclusão e afastamento" já explicitada, pode transformar a visão e apreciação de cada um sobre si mesmo: uma cliente estava envergonhada porque bebeu e acabou falando umas verdades para quem precisava ouvir, e até jogou o conteúdo do copo na cara de alguém que, enfim, merecia. Ao ser questionada, "Se essa mulher fosse personagem de um filme, o que a plateia acharia?", respondeu, a cada pergunta: "Interessante?", "Sim"; "Entediante?", "Não"; "Inadequada?", "Sim"; "O filme ficaria mais ou menos interessante sem ela?", "Menos"; "O que você, na plateia, teria achado dela?", "O máximo". A essa altura da sessão, a cliente já estava começando a rir do assunto, contextualizando, dessacralizando.

Muitas vezes, a história ganha um significado mais precioso, mágico, palatável quando se olha em perspectiva. Os medicamentos antidepressivos levam de três a cinco semanas para começar a fazer efeito, se é que terão o efeito desejado. Com algumas pessoas, nesses longos dias de espera, a imagem frequente que surge em terapia é a travessia do deserto. Esses são exemplos de metáforas que fazem companhia, que ressignificam as situações.

Dare to suck

Bastante ilustrativa, essa atividade é um tipo de ensaio que uma banda desenvolve com regular frequência: seus integrantes se comprometem a ter a coragem e o atrevimento de "fazer feio". Assim como eles, tanto nas artes como na Gestalt-terapia é desejável procurar o estado em que se cria sem o compromisso com o sucesso, o belo, a aprovação, privilegiando a liberdade de tentar, experimentar e errar. Errar não apenas no sentido de cometer um erro, mas principalmente no sentido de vagar pelo desconhecido, arriscar-se a novas possibilidades, ousar, estar pouco ligando, mas muito ligado no processo. Dizem que a *jam session* dessa banda às vezes é terrível, mas muita coisa boa surgiu nessas ousadas tentativas.

Levantamento de acervo pessoal

Podemos simbolizar essa prática com a imagem de "polir a prataria", lavar os objetos esquecidos que perderam o brilho, que esperam situações ideais para ser levados em consideração, situações que raramente se constelam na perfeição. Aqui cabe estimular os passeios que não se tem feito, os escritos esquecidos, os livros para os quais não se encontra mais tempo para abrir na correria dos dias. Nessa atividade, convidamos a todas as vivências possíveis, vividas ou prometidas para nós mesmos, de tudo que pertence ao universo conhecido ou potencial das pessoas envolvidas na situação terapêutica. Claro que também estamos falando do acervo do terapeuta, daquilo que ele aprendeu na vida – de esportes a brincadeiras, piadas, provérbios, truques de mágica, malabarismos, viagens, reflexões, livros, filmes, séries, história, "causos", mentiras, verdades, bons momentos, fracassos. E tudo pode ser compartilhado, ensinado ou aprendido do acervo equivalente de todos os participantes, originando pontes, vocabulário comum em um fecundo território de trocas.

A ARTE COMO PROSPECÇÃO

Falta ainda percorrermos a arte como coleta de dados, em imprevisível e muitas vezes cega e multifacetada prospecção. Visando transcender o discurso habitual, mecânico, cristalizado sobre si mesmo, a simples escolha de objetos, por exemplo, pode falar por nós enquanto usamos a primeira pessoa. A escolha espontânea fala muito de quem se identificou com o objeto – uma técnica simples, segura, protegida e surpreendentemente eficaz, principalmente para iniciar pessoas pouco familiarizadas com experimentos.

A parceria entre os envolvidos nas sessões de psicoterapia permite que diversos assuntos sejam aprofundados, testados, planejados. Reafirma-se então que o essencial é o processo, enquanto os objetivos podem ser desdobrados, digeridos, compartilhados. Por exemplo, o planejamento de uma tatuagem – o tema, a escolha do local do corpo, a maneira como cada um se relaciona com as coisas definitivas – tem sido um mote constante e conveniente para aumentar o contato consigo e com as vontades de cada indivíduo. Aliás, a configuração de cada corpo deve ser levada em consideração: o tema "tatuagem" é caro pela riqueza de aspectos que costuma revelar. Além disso, há de se estar atento para o fato, por exemplo, de que uma série de pequenos desenhos espalhados pelo corpo pode parecer sarampo, sendo tênue e sutil a diferença entre um adorno e uma cicatriz; e também para a diferença entre uma escolha pessoal e um movimento de rebanho (um grupo de primos que, num momento de entusiasmo, resolveu tatuar o nome da cidade italiana dos avós seria ou não a receita para um eventual posterior arrependimento de algum deles?).

Ao escrever sobre a Gestalt-terapia, notamos uma grande correspondência entre a prática e o formato "ensaio" na escrita. Assim como o desenrolar de uma sessão – com seus experimentos e tentativas de fluidificar a dinâmica figura-fundo –, essa técnica, descrita desde o século 16, pode ser entendida pelo significado da palavra francesa que a originou: *essai*, do verbo *essaier*, tatear, ensaiar, tentar, procurar. Como muito bem assinala nossa prática, a alma do experimento está no fazer, muito mais que em qualquer resultado, embora este obviamente seja parte inseparável do todo. Desse modo, escrever tateando, como é característico do ensaio, foi também nossa escolha para registrar a imprevisibilidade, a multiplicidade de caminhos. É notável também a compatibilidade da Gestalt--terapia com o formato *making of*, documentários que acompanham processos de produção cinematográfica enquanto são planejados e realizados.

Proust, a memória e o acaso

Marcel Proust, em sua obra, descreve duas possibilidades de evocação da memória: uma em que tentamos nos lembrar, com esforço, voluntariamente, e outra que é desencadeada pelo acaso, por um cheiro, um gosto, uma música que toca sem que se tenha planejado, como num programa de rádio ou com a tecla *shuffle*. Essa memória incidental e espontânea seria a mais forte, arrebatadora, aquela que leva a pessoa a um fortíssimo sentir. Aí podemos atingir um estado impreciso, sem controle, com atenção inespecífica, propiciando intenso contato – um estado, a partir de então, difícil de ser esquecido.

AGORA, NA PRIMEIRA PESSOA, EU

Gostaria agora de exemplificar o uso que faço dos recursos artísticos, descrevendo algumas possibilidades que levo aos *workshops* que ministro desde 1986 aos alunos do Instituto Sedes Sapientiae. Ressalto que a descrição das técnicas e provocações não prescinde de um intenso treinamento para que caibam nas situações, com os devidos cuidados para não ceder à pura pirotecnia, não projetar, estar seguro para cuidar da funcionalidade do eixo – enfim, estar preparado para lidar com as suas consequências.

Um exemplo é a apresentação de cada participante para o grupo. No caso de alunos que já se conhecem, não faz sentido a autodescrição de quem é quem e o que faz cada um, só para que eles sejam conhecidos pelo novo professor. Portanto, é redundante uma descrição habitual de si em primeira pessoa. Nessa situação, acho rico propor para cada um uma consigna diferente, desconhecida dos demais, distribuída de maneira aleatória. Exemplos:

- Aluno A: faça sua apresentação usando apenas mímica.
- Aluno B: faça sua apresentação falando muito bem de você e, em seguida, se criticando.
- Aluno C: faça sua apresentação como se você fosse um produto a ser vendido.

- Aluno D: faça sua apresentação falando o maior número de palavrões que puder.
- Aluno E: faça sua apresentação usando uma língua que não existe.
- Aluno F: faça a sua apresentação como se você fosse um vizinho bisbilhoteiro fofocando sobre você, falando da sua vida.
- Aluno G: apresente-se enquanto dança ou se movimenta pela sala.
- Aluno H: apresente-se como se você fosse uma criança de três anos.
- Aluno I: Apresente-se afirmando o contrário do que você acha de si (costuma haver confusão com negar o que se é, mas no fim dá no mesmo).

Para uma turma de dezesseis participantes, você pode usar duas vezes as possibilidades citadas. Tenha uma de sobra, no bolso do colete, caso algum participante não queira ou não consiga fazer o que foi pedido. Geralmente essa pessoa vai ficando por último, e você pode conversar com ela reservadamente antes que a dinâmica termine.

Conforme a adesão – ou não – e a resposta do grupo, pode-se incluir uma nova apresentação. Os que querem se reapresentar escolhem as instruções de que gostaram na primeira rodada e foram atribuídas a outros.

Mas... suponha que no momento dessa apresentação um dos participantes manifeste o desejo de revelar algo sensível de si; por exemplo, que descobriu recentemente a existência de um filho. O que acontece? Todo aquele baralho arrumadinho imediatamente cai na lista das propostas inadequadas, e segue-se o fluxo da figura que surgiu, com o seu devido tom (trágico, comemorativo, surpreendente, e assim por diante). Também por isso, a apresentação não deve ser a primeira dinâmica proposta. Para formar um chão, começa-se com algo mais neutro, para sentir o tom do grupo (cansaço, curiosidade, harmonia, confronto). Propõe-se uma atividade de corpo com ou sem inibição da comunicação verbal, ou uma fantasia dirigida que refaz o caminho desde a noite anterior, o acordar, as escolhas e os instantes do dia, até que se chega ao momento atual, com o consequente compartilhar dessa primeira aproximação.

É muito importante, antes de tudo, explicar por que estamos lá, qual é o objetivo e, se possível, dar voz aos desejos de cada um (podemos fazer atividades como escrever uma cartinha para o Papai Noel, escolher três desejos para o Gênio, duas reclamações para o síndico).

No meu trabalho de conclusão de curso, abordei o uso não oracular da consulta aos oráculos, e continuo a usar essa carta sempre que ela cabe. Quem consulta o *I Ching*, por exemplo, é convidado pelo livro a elaborar uma pergunta, enquanto o próprio livro afirma que em uma pergunta realmente bem elaborada estará incluída a sua resposta e quem responde à pergunta é quem consulta, o livro apenas orienta. A pergunta pode acompanhar o participante por todo o *workshop* e tentamos respondê-la incitando a uma aproximação nova, irracional, contemplativa, como observar as formas remanescentes no fundo de uma xícara de café, a forma das nuvens, um borrão de tinta. Pode-se usar também o sorteio de um dos hexagramas, textos do *I Ching* nos quais se combinam duas imagens que, ao mesmo tempo, representam um fenômeno da natureza, um membro da família e uma característica abstrata. A observação desses elementos costuma trazer imagens inusitadas, facilitadoras da fagulha que inicia um novo olhar.

A arte, portanto, permeia o nosso ofício, estando frequentemente disponível, palpável no concreto e sublime nas abstrações, podendo ser usada propositalmente ou não. A arte facilmente foge a nosso controle nas atividades e reflexões do dia a dia, em suas múltiplas manifestações. Nunca é demais recordar que, no experimento, o essencial é se entregar ao novo de maneira dinâmica, pulsante, com ênfase na *awareness*.

A arte pede pregnância, a melhor forma de ser expressa, o que inclui imagens, metáforas, música, mímica, movimentos corporais, coleções, arranjos florais, cenários, vestimentas, uso das cores, o que vier a se destacar nas situações. A vivência da arte pede, portanto – e cada vez mais –, um olhar a ser incitado e que desafie o comum, enquanto se abre espaço para o incomum, sobrepondo as partes do tecido: desfiando, desafiando e costurando as mais diversas texturas formadas pelos fios e pelos espaços vazios entre eles.

REFERÊNCIAS

PERLS, F. S.; HEFFERLINE, R.; GOODMAN, P. *Gestalt-terapia*. São Paulo: Summus, 1997.

ZINKER, J. "Permissão para ser criativo". In: *Processo criativo em Gestalt-terapia*. São Paulo: Summus, 2007.

3
O *clown* terapêutico: a Gestalt-terapia e o universo dos palhaços

RODRIGO BASTOS

MONTSERRAT GASULL SANGLAS

> A tristeza, os afetos tristes são todos aqueles que diminuem nossa potência de agir. Os poderes estabelecidos têm necessidade de nossas tristezas para fazer de nós escravos.
> (Deleuze, 1998, p. 50)

Universo dos palhaços? Como assim? O que faz esse ser na esfera da Gestalt-terapia? O que ele tem de interessante para ser importado por esse campo? Se a ideia de revelar as aproximações entre esses dois saberes surge de maneira "esquisita" para o leitor, não se aflija. Para nós, também o foi. Primeiramente, quando Rodrigo recebeu um convite para uma oficina de palhaços, no ano de 2009, por um e-mail que mais teve o aspecto de *spam*. E, depois, quando Montserrat, convidada por Rodrigo em 2015, recebeu a proposta com estranhamento.

Do momento do primeiro "não" proferido por nós dois até o apaixonamento pleno por essa arte tão sublime e de fato esquisita (que, na acepção mais próxima do espanhol, significa algo de singular e extraordinária qualidade, primor ou gosto), passaram-se vários anos. E podemos dizer que valeu a pena o mergulho profundo nos estudos e pesquisas, mas, principalmente, nas experimentações que nos foram oferecidas. Abrindo novas *Gestalten* e fechando outras, os palhaços nos proporcionaram conhecer maneiras inusitadas de olhar para os velhos problemas, de lidar com eles de maneira alternativa às formas óbvias que tantas vezes utilizamos para dar conta das situações cotidianas.

Para a maioria dos adultos, uma meia serve para esquentar, um pente para pentear e uma bola para chutar. No mundo *clown*, a meia pode virar uma nadadeira ou uma pata de leão; o pente, um navio alienígena ou um jacaré de estimação; e a bola, ah, esta sim, a bola "de chutar" pode ser, para um palhaço, uma parte da sua barriga, um planeta em miniatura ou uma grande maçã que está dando muito trabalho para ser comida.

Assim é esse universo cheio de surpresas inusitadas, que pode, e muito, auxiliar a nós, terapeutas, e também aos nossos clientes, a obter uma gama incontável de ferramentas para utilizarmos de maneira criativa nas soluções daquilo que, à primeira vista, parece não ter solução. Afinal, não é em busca de outros caminhos que estamos nós e as pessoas que nos contratam? Fazemos aqui e agora um convite a você: que olhe com curiosidade para esse nariz e busque responder o que faz o ser humano tomar uma torta na cara e, em vez de se sentir humilhado, ver nisso uma oportunidade. Senhoras e senhores, é chegada a hora de ousarmos apresentar nossa arte atrevida. O espetáculo já vai começar.

A proposta deste capítulo é ilustrar a figura do *clown* e como se dão o seu processo de construção e as interseções desse percurso com a Gestalt-terapia. Nosso foco aqui está no caminho, e não no arquétipo do palhaço. Esse percurso se dá por meio de jogos que, sob o olhar da abordagem gestáltica, podem se tornar dispositivos clínicos criativos, auxiliares de um trabalho terapêutico potente. Das interseções de ambos surgiu nossa metodologia de trabalho "o *clown* terapêutico", a qual referenciaremos durante o artigo.

O trabalho do *clown* terapêutico tem uma proposta de experimentar o ser no mundo, convidando-o a explorar novos espaços nunca frequentados e a se reconectar com aqueles que foram abandonados e poderiam ser de enorme valor para o momento atual. Como ponto de partida, no adulto nos dirigimos à sua infância esquecida, não em relação à sua biografia, mas sim à maneira como a criança experiencia sua existência. Para isso, o nosso material de trabalho é o brincar, que se vincula ao adulto através do palhaço e todo seu universo. O objetivo é, por meio dos jogos, ampliar a *awareness*, a criatividade e a espontaneidade, assim como incentivar a procura de um ser integral e integrado. Essa metodologia abrange trabalhos individuais e grupais, que são desenvolvidos tanto na clínica como em *workshops*. Temos dedicado especial atenção aos trabalhos grupais, sobretudo às imersões, porque percebemos quanto esses encontros são mobilizadores e profundos; geralmente, os adultos não estão acostumados a compartilhar espaços íntimos, e essas vivências, por si sós, já se revelam cheias de afetações.

Antes de iniciar os trabalhos, devemos dizer que não fazemos distinção entre as palavras *clown* e palhaço, em consonância com outros referentes nesse campo (Jara, 2000; Moreira, 2015; Vigneau 2016). Sabemos que para alguns estudos é necessário compreender as características que diferenciam um *clown* de um palhaço, os que atuam no palco, na rua ou no circo, os "brancos" e "augustos", os palhaços de nariz e os que chegam de rosto descoberto. Porém, o que nos importa aqui não é o que singulariza cada um desses personagens, mas aquilo que os une e os converte em parte de um universo "paralelo" dos adultos. Portanto, usaremos as duas palavras indistintamente.

Alinhados ao pensamento de Moreira (2015), entendemos que o estudo do *clown* tem muito mais que ver com repensar o lugar que queremos ocupar na nossa vida do que com o aprendizado cênico, pois o palhaço não é um ator que representa um papel, e sim alguém que se revela na sua inadequação, colocando-a numa lente de aumento; e, dessa posição de vulnerabilidade, mas também de reconhecimento e apropriação do seu espaço, se relaciona com os outros. Segundo Diz (2011), o que distingue o ator do palhaço é que o primeiro deseja interpretar vários papéis/personagens na vida e o segundo procura interpretar seus vários "eus", assim como uma das propostas da abordagem gestáltica é facilitar ao cliente que este possa experimentar as diversas polaridades que o habitam.

E quem é o palhaço? O palhaço é o idiota, o bobo, o tonto, é aquele que se acha esperto o bastante para passar o colega para trás mas que, de fato, é facilmente enganado. Ele sorri quando lhe sorriem e chora de medo quando tem medo. Também reclama da fome quando tem fome, diz que não gosta quando não gosta e se faz de atrevido e corajoso quando está convicto de estar protegido. Meigo e arrogante, franco e mentiroso, sagaz e ingênuo, pudico e indecoroso, e tantos outros contrários que são exercitados na construção desse complexo ofício. É aquele que se distrai com a borboleta, a formiga e o besouro, com o vento, a nuvem e o prego enferrujado caído no chão, que ri balançando a pança e ri mais ainda quando vê que legal é esse balançar. Se diverte com o que tem por perto e transforma em novos instrumentos as coisas que chegam às suas mãos. Controla o tempo, faz chover e consegue parar o sinal de trânsito com a mente para uma senhora atravessar – e se acaso este não fechar por algum motivo, entra na frente dos carros e, fazendo uma baita confusão, os detém, enquanto, com um dos pés, pede para que ela atravesse. Por isso, tantas vezes é tido como o louco, o maluco, o insano. É um ser "a-normal", questionador e "quebrantador" das regras do sistema, e pode até aceitá-las, desde que façam sentido para ele. Com toda a sua inadequação, escreve uma poesia num artigo científico e transforma brincadeiras, esse movimento tão de criança, em coisa séria para adulto fazer terapia.

O palhaço é um perdedor, é aquele que cai, se dá mal, tomba da cadeira e derruba o bolo, é o que se machuca e se quebra, é aquele que toma a torta na cara e, em vez de se revoltar com isso, percebe o sabor delicioso daquele doce em seu rosto. O palhaço é repleto de humanidade e, como muitos de nós, cai, levanta, cai, levanta e levanta de novo; é, como muitos de nós, um supera-a-dor. Para além do que se pensa, não é só um especialista na arte do riso, mas também um desbravador da arte de emocionar e de fazer contato (Bastos, 2017; Jara, 2000; Libar, 2008; Thebas, 2005; Tsallis, 2005, 2009).

Ao apresentar o palhaço e algumas das suas características, já o fizemos com a intenção de revelar aproximações entre ele e os seres humanos. Agora queremos trazer sua grande parceira, aquela que foi denominada "a menor máscara do mundo" (Lecoq, 2010) e que, de tão pequena, serve mais para revelar que para esconder: o nariz do palhaço. Esse apetrecho tem uma história não tão alegre quanto a alegria que muitas pessoas sentem ao vê-lo. A esse respeito, nos conta Bastos (2017, p. 43):

> Segundo reza uma das lendas, ele é vermelho devido aos tombos que a vida deu ao palhaço, onde este se machucava ao embebedar-se, pelas noites de frio, pela perda da mulher amada, pela falta de dinheiro, era vermelho por ser um tonto desequilibrado e por isso dava constantemente com a cara no chão.

O vermelho do nariz do palhaço, em uma das diversas narrativas que o envolvem, seria o sangue da cara quebrada. E foi observando várias vezes esse movimento que compreendemos que o nariz não pode ser visto quando o palhaço está caído ao solo; só o enxergamos quando ele se levanta. Aqui estamos falando de uma das grandes características do *clown*: cair, levantar, seguir adiante. Superação.

E, embora estejamos enfatizando a apresentação do palhaço, nem tudo no *clown* terapêutico está relacionado à sua máscara ou à sua figura; em muitos dos trabalhos, esses dois componentes nem sequer estão presentes. No aprendizado com a tradição circense e a forma como se constrói a identidade do *clown*, fomos retirando movimentos e compreendendo o significado e o valor deles para provocar e proporcionar às pessoas a possibilidade de fazer contato com partes suas não reconhecidas, ou mesmo não amplificadas – e isso, necessariamente, não torna obrigatório o uso dos dispositivos citados.

Ainda assim, para compreender como surge o instrumental utilizado nessa metodologia, precisamos conhecer o processo de nascimento do palhaço de cada um. O acesso a esse conhecimento é historicamente novo para o grande público. Um dos maiores pedagogos na arte do *clown*, Jacques Lecoq (2010), cita que o *clown* apareceu na sua escola em 1962 e que, a partir desse encontro com essa arte cômica e derrisória, percebeu que os atores, ao fazer contato com seus palhaços, conquistavam um espaço de liberdade que até então não conheciam. Diz (2011) explica que o conhecimento da tradição circense era passado hierarquicamente entre as famílias do circo e ganhou o mundo entre as décadas de 1970 e 1980, globalizando tais informações. Inicialmente, tal proposta de contato era feita entre o ator e o palhaço por meio dos seus diretores, que reconheciam que essa aproximação tinha o potencial de ampliar o repertório de ações dos estudantes. Até hoje encontramos muitas propostas de trabalhos clownescos que buscam o mesmo objetivo, sendo que esse universo já não pertence mais exclusivamente ao teatro e aos atores.

Podemos demarcar, neste ponto, algo que diferencia a proposta do trabalho com o *clown* nas escolas de palhaço da do *clown* terapêutico. Se no primeiro espaço busca-se prioritariamente melhorar a performance cênica do ator/participante, no nosso trabalho procuramos amplificar as possibilidades de ser no mundo. Outra diferença importante é que, ao receber os participantes/clientes, tanto nos *workshops* e nas imersões quanto no consultório, lançamos mão de experimentos, exercícios, provocações e diálogos que auxiliam a ambos, terapeuta e cliente, a perceber o autossuporte de cada um antes de prosseguir para outras etapas dos jogos. E uma terceira característica que nos singulariza é a intenção de convidar o participante a um espaço de percepção e de apropriação do vivido durante todo o percurso, elaborando tais vivências corporal e verbalmente.

Mas como se inicia a busca do palhaço pessoal? Rodrigo chegou na sua primeira oficina e logo foi colocado à frente das pessoas, tendo recebido a seguinte pergunta: "Conte para nós, quem é você?" Partindo das respostas mais confortáveis, disse seu nome, profissão, estado civil e tantos dados que quase parecia estar respondendo a um questionário para o censo do IBGE. Não se dando por satisfeito, o condutor da oficina insistiu na pergunta: "Conte para nós, quem é você?" Dessa vez, uma angústia tomou conta e o corpo começou a reagir – e, já um tanto mais trêmulo, Rodrigo respondeu preocupado que também era músico, gostava de cozinhar, de viajar, e era tímido. Nesse ponto, tanto os outros participantes quanto o professor olhavam para o Rodrigo com uma cara que ele mesmo descreve como sendo de velório. "Conte para nós, quem é você?" O chão já não existia, o corpo estava todo dormente, a visão turva, a barriga doía, e uma certa vontade de chorar apareceu. "Conte para nós, quem é você?", insistia. Envolvido por certa raiva, de quem já tinha respondido tudo que era possível, e certo de que não havia mais nada a dizer, no impulso falou: "Sou gordo, careca e cabeludo". E o velório se desfez. As pessoas praticamente passaram mal de tanto rir. Pronto, estavam reveladas palavras que geralmente o Rodrigo mantinha escondidas para si. Naquele momento o mestre voltou para todos e disse que ali estava começando a nascer o seu palhaço.

Ao sair dessa oficina, muito transtornado por tudo que houve, Rodrigo levava a certeza de que aquela vivência o atravessara de tal forma como muitos anos de terapia não o haviam mobilizado, reconhecendo ali uma força terapêutica, ainda que em estado bruto. O *clown*, portanto, nasce do reconhecimento daquelas coisas que geralmente buscamos esconder em nós, sejam elas características físicas ou emocionais (Bastos, 2017; Gaulier, 2009; Lecoq, 2010; Libar, 2008; Thebas, 2005; Tsallis, 2005).

Assim como o terapeuta na abordagem gestáltica, o facilitador na formação do palhaço não sabe quem é seu cliente – nesse caso, como seria o *clown* do outro. Para Moreira (2015), ele confia plenamente na capacidade do aluno de fazer o caminho e, portanto, o estimula e o provoca para que ele descubra como é o próprio *clown*. Isso nos aproxima da fala de Zinker (2007) quando ele afirma que o terapeuta fica na retaguarda, acompanha, explora o terreno, porém é o cliente que tem de andar. O terapeuta é um instigador e não um conhecedor. Então verificamos que, nesse aspecto, tanto o professor de *clown* como o Gestalt-terapeuta convergem na postura diante do cliente.

Para que esse processo – terapia/nascimento do *clown* – flua com mais intensidade e possibilidades de descobertas, a curiosidade e o encantamento pelo que é do outro, elementos tão clássicos na vida de uma criança, necessitam estar presentes primeiramente no terapeuta/professor, sendo também estimulados no cliente/aluno. Como bem lembra Hycner (1995, p. 118), "o terapeuta deve estar sempre disponível para se surpreender – não em função de sua 'ingenuidade', mas por não pressupor precipitadamente o que aconteceria".

E como estimular tais capacidades? Encontramos uma resposta quando olhamos para o nosso passado. Por conta da sua curiosidade e habilidade de se surpreender, as crianças são inspiração para os *clowns*, como cita Jara (2000). Também inspiram pela maestria em ser espontâneas, criativas, emocionais e brincantes. Infelizmente, tanto para Bastos (2017) como para Ribeiro (2015), durante o desenvolvimento infantil, os processos socializadores rígidos, nos quais não há espaço para a espontaneidade, vão desvitalizando o espírito da criança curiosa, brincalhona e criativa, transformando-a em um adulto obediente e competitivo que não explora as suas potências pessoais e, desnutrido da crença de que as possui, vive uma vida ilegítima. Sendo assim, nas formações dos cursos de palhaços explora-se insistentemente a busca de resgatar o espírito de criança no adulto ali presente. Perls, Hefferline e Goodman (1997, p. 105), observam, concordando com Schachtel, quão importante pode ser para o adulto "recuperar a maneira como a criança experiencia o mundo".

Somando à nossa reflexão, trazemos a compreensão de Diz (2011, p. 159) de que o adulto que se liberta das "normas ou moral" para brincar como uma criança não se encontra num estado infantilizado; agora, já tem os "recursos e um olhar de adulto sobre o brincar". Compreendemos, portanto, que o adulto sob efeito do *clown* não viraria uma criança; contudo, retomaria sua energia, pegaria os recursos do brincar para, com sua potência adulta, transformá-los em algo que o traga de volta para a liberdade de ser quem é.

E como se dá essa construção no adulto? Para a maioria das pessoas, a resposta não é nada agradável – é dolorosa e um tanto assustadora. Fazemos à moda antiga: brincando. Segundo Bastos (2017), ao caminhar em direção ao ser humano adulto vamos nos afastando desse ato lúdico. E, como num ritual de passagem, abandonamos os jogos em direção ao "sério", como se este estivesse em oposição ao brincar infantil. Com isso, largamos as ferramentas que as crianças utilizam para se desenvolver como pessoas e como seres criativos. A respeito do brincar das crianças e da criação artística, que faz parte da esfera do palhaço,

> [...] é a sensação vivida e a brincadeira irrestrita destas, aparentemente sem objetivo, que permite à energia fluir espontaneamente e chegar a semelhantes invenções fascinantes.
> Em ambos os casos é a integração sensório-motora, a aceitação do impulso e o contato atento com material ambiental novo que resultam numa obra de valor. [...] O mesmo modo intermediário de aceitação e crescimento pode operar na vida adulta em assuntos mais "sérios"? Acreditamos que sim. (Perls, Hefferline e Goodman, 1997, p. 59)

Segundo Winnicott (1975), é exclusivamente no ato de brincar que desenvolvemos nossa totalidade e criatividade em qualquer etapa da vida. Se terapeuta e cliente não contam com tal capacidade, precisam primeiramente desenvolvê-la, pois sem ela não existe a possibilidade de um processo terapêutico. Concordamos também com Tárrega (2007) quando este propõe o jogo com a intenção de que seja o brincar, e não o analisar, o que permite dar sentido à experiência; mas os jogos e as técnicas não são o mais importante, e sim como se joga, ou seja, quanto nos disponibilizamos ao jogo.

Curiosos, procuramos pela etimologia da palavra brincar e encontramos em Rodrigues e Nunes (2010, p. 190) que esta provém "do latim, tendo como radical *brinco* e raiz morfológica *vinculum*, que quer dizer vínculo"; portanto, o brincar trata da vinculação consigo mesmo e com o outro.

Montserrat nos conta que o caminho para esse vínculo com o brincar foi surpreendente, pois sempre acreditou ser uma mulher adulta e brincalhona, e assim também era percebida pelos outros. Ela, portanto, cumpriria o papel que buscamos no *clown* terapêutico. Doce ilusão! Com o tempo, foi percebendo que seu brincar não era "real", pois ela estava sempre no controle das suas ações, não tinha um fluir de energia e um contato espontâneo com o entorno ou consigo própria. Utilizava-se do humor e da alegria, que eram qualidades que já a habitavam, para dar conta dos episódios da vida, e chamava isso de "brincar". Porém, foi participando dos *workshops* do Rodrigo e de formações de *clowns* que percebeu que o brincar demandava presença e contato, qualidades que geralmente não faziam parte do seu repertório, como da grande maioria dos adultos. Aqui, chamamos de presença algo que ultrapassaria o estar físico sem negá-lo, sendo, portanto, uma conexão da razão, dos sentimentos, da visceralidade e do corpo no aqui e agora; e denominamos contato um movimento dinâmico de troca com o entorno, no qual é preciso ter uma visão nítida desse espaço – ao fazer contato, damos algo de nós e absorvemos algo do outro. E Montserrat, essa que "sabia" brincar, brincou novamente sob a música do *clown*, mas ao fazer isso sofreu afetos. Brincando, se conectou à sua criança machucada e descobriu a menina potente, olhou para a adolescente distante e a aproximou da vida, até chegar na mulher adulta e suas dores físicas – e todo o trajeto de experiências que as construíram.

O brincar lhe possibilitou manifestar sua totalidade interna de forma fluida com o mundo. O palhaço foi o instrumento vinculador do adulto à sua criança interior e ao estado lúdico, e este a levaria a uma maior criatividade e espontaneidade, elementos essenciais à sua vida e à de todo ser humano e sobre os quais discorreremos a partir de agora.

Já apontamos a capacidade do palhaço de encontrar novos caminhos e novos usos para o que já é conhecido, e observamos que para isso são incentivadas formas de explorar a criatividade do indivíduo. Apesar de estarmos falando do processo de formação de um palhaço, encontramos na literatura gestáltica uma série de referências à criatividade que a aproximam do mundo *clown*. Se na Gestalt-terapia ela é um dos meios para a regulação organísmica, no *clown* ela é condição *sine qua non* para uma manifestação plena e potente do palhaço. Por isso, ambos investem tempo e energia no desenvolvimento da criatividade no sujeito. Para que isso aconteça, o "pretendente" deverá se disponibilizar a passar pelo erro, pela exposição ao ridículo, e, com isso, se vulnerabilizar – elementos essenciais que permeiam as formações de palhaçaria. (Bastos, 2017; Libar, 2008; Gaulier, 2009; Thebas, 2005). Reconhecemos essa abertura afinada com a seguinte frase:

> Por fim, a criatividade é um ato de coragem que diz: estou disposto a me arriscar ao ridículo e ao fracasso para experienciar este dia como uma novidade, como algo inédito. A pessoa que ousa criar,

romper limites, não apenas participa de um milagre como também percebe que, em seu processo de ser, ela é um milagre. (Zinker, 2007, p. 16)

Ciornai (2004) constata que, em todas as suas pesquisas nos pilares da literatura gestáltica, os funcionamentos saudável e criativo se equiparam. Notamos que o sujeito criativo é capaz de procurar novas respostas para as demandas e modificar seu entorno, correr riscos para remodelar o atual a fim de que uma nova forma possa aflorar. A idoneidade das respostas, ajustando-se às demandas contínuas do meio, com flexibilidade e de forma inusitada diante do que é emergente, guiam para uma autorregulação organísmica. Neste contexto, Lima (2009) afirma que o desenvolvimento do potencial criativo pode ser de grande auxílio para gerar ajustamentos saudáveis, e para isso devemos considerar a criatividade uma potência inerente ao ser humano que promove a autorrealização.

A criatividade é uma potência existente em todas as pessoas, mas seria a criança a possuidora de uma porta de acesso direto a ela. Libar (2013) afirma que a capacidade de criar cosmos de todas as formas, tamanhos, cores – e de trazer a eles quaisquer personagens que sua mente imaginar – faz da criança uma "criadora de universos". E mais: sem a criação de um universo próprio, o ser humano, ao crescer, precisaria "morar de carona" no mundo do outro, havendo, portanto, uma grande perda de identidade.

Quando uma criança transforma seu quarto no mundo submarino e a vassoura vira um tridente, o balde seu capacete de respiração e o tapete a água em que está nadando, ou ainda, quando pega um punhado de milho, feijão e arroz e os transforma em três exércitos prontos para entrar em combate, ela não o faz de maneira simbólica, mas vive naquele instante um ato de realidade, em que todos os sentimentos estão presentes e ela é onipotente, criador e criatura, fazendo, desfazendo, construindo, destruindo: criando. Desvincular-se do estado lúdico para se tornar adulto não seria, portanto, abrir mão de um grande potencial criativo que, ao envelhecer, tanto continuamos buscando? Se a criatividade é um elemento necessário para resolver problemas, e a criação de universos e a brincadeira são combustível para a criatividade, por que na passagem da criança para o adulto nossa sociedade nos convida a parar de brincar e a nos tornarmos "sérios"? Não encontramos até hoje uma resposta que nos seja satisfatória.

Desde 2009, quando iniciamos a pesquisa em clownterapia, percebemos como os exercícios de improviso, tão recorrentes no desenvolver do palhaço, também são facilitadores da espontaneidade criativa. A possibilidade flexível de crescer, que a manifestação dessa atitude proporciona ao sujeito, a relaciona com o conceito de saúde em Gestalt-terapia. Durante os improvisos o participante deve estar engajado na ação; mas, se tem disposição para brincar, ao mesmo tempo precisa estar receptivo a tudo aquilo que lhe chega do entorno, seja num jogo individual ou com outros membros. O improviso não acontece quando mostro meus velhos clichês, mas quando permito perceber aquilo de genuíno que ressoa em mim em conexão com o campo, interagindo, a partir desse ponto, com naturalidade. Esse processo procurado nos jogos de improviso nos lembra a citação de Perls, Hefferline e Goodman (1997, p. 45): "Espontaneidade é apoderar-se, crescer e incandescer com o que é interessante e nutritivo no ambiente". Na procura de uma expressão genuína, buscamos interromper o movimento de deliberação para que o fluxo da espontaneidade se faça presente.

Nesse sentido, o *clown* procura achar espaços para que o corpo possa comandar o raciocínio repleto de pensamentos e ações já "bem arquitetados" e preestabelecidos, sendo a improvisação uma passagem para isso (Jara, 2000). Muitos dos jogos de palhaços colocam o participante em "enrascadas" ou situações inverossímeis, buscando dar um "nó na cabeça", provocando o corpo para que este tome a frente. Esse corpo é entendido como fonte de emoção, expressão e desejo. Por exemplo, quando convidamos um aluno a colocar uma mala, que tem meio metro de comprimento, apoiada sobre duas cadeiras. A proposta a princípio parece simples, mas as cadeiras estão a um metro de distância uma da outra e o jogador não pode aproximá-las. Esse jogo não se resolve num pensamento concreto, pois não se trata de uma "pegadinha" que tem respostas; para se chegar a alguma solução se faz necessário entrar num espaço paralelo de criação que não pertence ao pensamento adulto. O que dá graça ao jogo não é como ele termina, mas todo o processo criativo de tentativas, movimentos possíveis e impossíveis, situações lógicas e ilógicas que levam, no final, à expansão da forma de pensar. Desvencilhar-se daquela situação limite com uma nova estratégia, ou de um novo lugar, pode levar a novas percepções. E o jogo, "mesmo após ter chegado ao fim, [...] permanece como uma criação nova do espírito" (Huizinga, 2020, p. 12).

A prática dos jogos de formação na arte dos palhaços cria situações que abrem espaço para a expressão corporal por meio de outras maneiras de funcionar. E nós, no *clown* terapêutico, incorporamos essa técnica, porém prestando atenção ao que acontece no instante do jogo e trabalhando o sentido daquilo que emerge durante e após o processo. A partir dos movimentos que o corpo faz, produzem-se novos conteúdos, formas, emergem novas *Gestalten*. Muitas vezes, depois de um exercício de improviso, temos os participantes com as mais diversas manifestações: respiração alterada, lágrimas nos olhos, excitação, relaxamento ou tensionamento e até mesmo um riso solto ou um rosto contraído. A novidade se apresenta e pode chegar de modo confuso, mas geralmente leva a uma série de emoções e sentimentos, que podem ser traduzidos com palavras ou não. Verbalizando o experimento ou ficando em silêncio, a pessoa que se manteve presente e em contato, pela nossa experiência, "leva para casa" um pote cheio de afetações. E aqui, voltando para a Gestalt-terapia, nos aproximamos da fala de Alvim e Ribeiro (2009, p. 56) quando relatam que "a experiment-ação é proposta de resgate da corporeidade, veículo para a expressão, para a emergência de uma ação criativa produtora de significados".

A ideia é "distrair a razão" para que o corpo possa entrar no palco e dar seu show. Quando ela se dá conta de que foi distraída, já está sem o controle do corpo e, certamente, por ser razão, tenta retomar o comando. Quando assistido por uma plateia, esse movimento se torna extremamente cômico, um clássico jogo de *clowns*. "Retomadas as rédeas", o sujeito já não é mais o mesmo. Ao buscarmos nos afastar um tanto da racionalidade – que muitas vezes nos diz: "Mas eu não consigo ir além disso" – e deixar o corpo ser a expressão da visceralidade e da emoção, esse mesmo corpo denuncia: "Você está enganado. Olha só até onde conseguimos chegar".

Em síntese, identificamos em nosso trabalho que, ao brincar com uma energia de criança, os participantes logram uma expansão dos seus recursos e ampliam sua capacidade de criar estratégias de ação para contextos em que tinham quase sempre o mesmo nível de resposta. O método do *clown* terapêutico é a proposta de trazer o palhaço (e seu nariz) para que, de forma lúdica, esses participantes retomem sua criatividade e espontaneidade, tendo os jogos como dispositivos terapêuticos – os quais, para acontecer, precisam ser realizados num espaço acolhedor, onde o participante se sinta confortável em experienciar situações inusitadas, pois, definitivamente, tal processo o desloca para um universo há muito não frequentado, e isso pode ser desconfortável – assim como pode ser boa parte do início de um processo terapêutico.

A horizontalidade entre os participantes, criada pelos jogos, propicia uma maior intimidade entre eles e uma abertura para o aprofundamento das relações. Isso acontece porque "quase todos" aceitam a condição para brincar, pois, como dizem os palhaços, "todos estamos na merda". Quando o jogo começa, cada participante chega numa condição particular de exposição, com suas resistências, máscaras sociais, diferenças e capacidade de entrega. A partir das provocações que revelam aquilo que é mais visível, até o convite para níveis de compartilhamento de intimidades profundas, vai-se criando gradativamente um espaço, tão bem denominado por Paulo de Tarso Peixoto, filósofo e Gestalt-terapeuta, espaço uterino e de afetos.

O convite para essa intimidade e a criação desse ambiente amniótico seriam o ponto inicial para que o cliente se sinta seguro de olhar para si e receber o olhar afetado do outro, sendo capaz de reconhecer suas máscaras, questionando quais já não são mais necessárias e repensando o sentido de continuar a usá-las nesse momento. O experimento não tem por meta que se retirem as máscaras, mas que se perceba o significado destas. A partir dessa reflexão, quando surge a demanda, procuramos um espaço para que aquelas que estiverem desatualizadas sejam retiradas para esse público íntimo. Presenciamos que esse caminho, por diversas vezes, conduz as pessoas a retirar essas mesmas máscaras para o grande público em seu cotidiano.

Sendo os jogos os principais dispositivos do trabalho proposto, retornamos aqui ao nariz do palhaço, uma ferramenta de acesso para uma nova dimensão na qual a realidade pode ser transformada. Para Tárrega (2007), o trabalho com as máscaras permite que as pessoas se impliquem com maior segurança, que ousem experimentar. E assim acontece com o nariz vermelho.

Esse instrumento do *clown*, ora representado por um plástico ou pintura vermelha, ora por outras cores, em diversos tamanhos e estilos, é portanto para nossos participantes uma possibilidade. Devidamente vestido de suas máscaras sociais, o indivíduo mantém sob elas suas verdades, que não podem ser reveladas, por algum motivo que lhes cabe. Não estamos falando aqui de verdades absolutas e universais, até mesmo porque estaríamos contrariando tudo que o mundo dos *clowns* e a teoria gestáltica nos ensinaram, e sim daquilo que é autêntico no ser humano mas, por pressões, se esconde sob disfarces. O nariz entraria em cena para que o indivíduo, por meio dos jogos, se sentisse autorizado a relaxar sua ansiedade e a aceitar colocar um tanto de brincadeira em sua vida.

Ele não substitui, a princípio, a máscara utilizada naquele instante, ou seja, ao entrar para o jogo no *clown* terapêutico esse pequeno artefato entraria por cima dela. Logo, se estivermos falando, por exemplo, da máscara social que encobre o medo, teremos na sequência o medo, sua máscara social e, por último, a máscara do palhaço. São duas camadas de "proteção" sobre uma verdade pessoal que o indivíduo crê não dar conta de trazer à tona. Aos poucos, criado um espaço de conforto, compreendendo e acolhendo a resistência do participante, provocando-o a pensar o sentido de estar utilizando tais proteções, vamos construindo, de acordo com sua demanda, a "retirada cirúrgica" da máscara social, permanecendo apenas com o nariz do *clown* e, se possível, finalmente, até mesmo sem ele.

Essa trajetória não é somente um processo de remoção, mas também de afloração. O cliente, convidado para o cargo de palhaço, é instigado a se revelar. Desse modo, tem a possibilidade de se reconhecer tal como é e de experienciar esse momento, abordagem condizente com a proposta gestáltica registrada por Beisser (1980) naquilo que denominou "teoria paradoxal da mudança": "A mudança ocorre quando uma pessoa se torna o que é, não quando tenta converter-se no que não é" (p. 110). Na literatura sobre a arte clownesca, encontramos com frequência referências que compactuam com esse trabalho de busca de um estado autêntico do ser (Gaulier, 2009; Lecoq, 2010; Libar, 2008; Thebas, 2005; Tsallis, 2005, 2009).

Como dissemos no início, o palhaço não é um ator, mas alguém que representa a si próprio, polarizando ao extremo suas características. A identidade do palhaço é construída a partir das verdades expostas. Lembram da demanda na primeira oficina do Rodrigo? "Conte pra nós, quem é você?" Ao aceitar o convite para desvelar o que escondemos por não se encaixar nos padrões estabelecidos (sejam estes determinados pela sociedade vigente ou por nós mesmos), o *clown* revela a coragem de ser e se apresentar inadequado, se rebela contra as "máscaras" que nos guiam para uma vida ilegítima, abre uma brecha contra a estandardização e reclama o direito a uma vida plena na qual é possível a manifestação de ser quem se é. De certa forma, tal busca é um ato de rebeldia, pois caminha contra a norma, o "normal". Recordem que ao descrever o palhaço o designamos como um ser a-normal.

> Vivemos uma espécie de pasteurização, um processo de massificação que nos iguala, transformando-nos em objetos que podem também ser consumidos. O diferente, errante, ambíguo, primitivo, sensual, representa ameaça ao instituído, sendo colocado na categoria anormal. (Alvim *et al.*, 2010, p. 186)

O palhaço, por meio do riso – sendo este compreendido como mecanismo e não como produto –, promove críticas, ridicularizando a si próprio e ao mundo em relação ao que nos é apresentado como normal. Para Diz (2011), poderíamos comparar a vida a uma cena teatral, em que os indivíduos assumem seus papéis e máscaras sociais para cumprir normas estabelecidas. O palhaço, então, chegaria nessa sociedade para questionar, por meio da ridicularização e de perguntas insistentes, o motivo de tais normas. No reiterado "por que", ele provoca as pessoas a pensarem de fato o sentido das coisas, usando o nariz vermelho como uma máscara que dá acesso e permissão para que seu interior se manifeste livremente de diversas maneiras. A fim de conquistar o público, o palhaço aceita se mostrar vulnerável e oferece suas fraquezas para que os outros se divirtam; assim, convida todos a participar da sua humanidade. Como quando Mirabel, o palhaço do Rodrigo, nos diz: "Olhem para mim, olhem para minha barriga gigante, maior que uma melancia, olhem como eu sou tímido e não sei onde colocar meu olhar, vocês sabiam que quando eu era criança e gritavam comigo eu me mijava todo nas calças?" Ou como quando a Motosserra, a palhaça da Montserrat, fala: "Olhem como eu sou confusa e ingênua e qualquer um pode me fazer de boba, olhem como sou descabelada e desengonçada quando ando, e podem ficar tranquilos, pois tudo que vocês fizerem de errado eu vou assumir a culpa para mim". Nesse momento, eles expõem sua intimidade e a dividem com os outros, que se tornam cúmplices delas. Ao fazer isso, questionam os valores e padrões sociais e suas injustiças, quebram a regra do comum. Para Tsallis (2009, p. 138), "é nisso que reside o efeito do palhaço: quando todos no mundo almejam vencer, ele explora perder; quando no circo todos voam, ele cai".

Como sustenta Diz (2011), o *clown* se comunica para se apresentar contrário aos mecanismos de poder – e, portanto, traz resistência a esses mecanismos. Por meio dos jogos, procura seu estado de ingenuidade, exibe seus fracassos e busca aprender com eles. Procura incessantemente o seu ridículo e o expõe. É nesse momento que sua comicidade vem à tona.

Desse modo, apontamos aqui a recalcitrância pensada como um processo de desobediência, de não se conformar em aceitar os convencionalismos só por serem isto:

"convencionalismos". É a recusa de viver aquilo que não lhes pertence e a ousadia de viver aquilo que faz sentido nessas ocasiões. Os palhaços deixam de ser apenas seres vagantes no mundo para se transformar em pessoas extravagantes.

CLOWNSIDERAÇÕES

O que pode nos acontecer ao entrarmos em contato com um *clown*? Podemos rir, nos enternecer, aborrecer, irritar, sentir medo, asco, quem sabe até nos sentirmos leves e cúmplices. E quando entro em contato com meu próprio palhaço, o que ele pode trazer para minha vida? Além do que já dissemos na primeira pergunta, devemos ampliar a resposta, pois, nesse caso, a proposta é realizar uma viagem para dentro de nós mesmos, escarafunchando todos os espaços que nos compõem e, a partir disso, ressignificar o ser humano que somos de fato, quando as máscaras sociais não são necessárias. O palhaço nos convida a nos apropriarmos de uma forma integral de quem somos, para que, uma vez integrados, possamos optar por novos movimentos.

A procura constante daquilo que é extracomum, que não faz parte do cotidiano, as respostas intuitivas, improvisadas, céleres, inesperadas e surpreendentes, que trazem soluções criativas dentro de um espaço seguro, nos auxilia a ampliar e enriquecer nossos registros. Em suas ações rebeldes experimentadas contra o cotidiano, o palhaço abre mão do que é uniforme e se veste com novas roupagens. Com suas fantasias e sonhos, quebra os protocolos daquilo que foi socialmente "destinado" a ser. Todo esse movimento, construído por intermédio do *clown* terapêutico, nos faz acreditar que essa metodologia tem muito com que contribuir no campo das intervenções terapêuticas, sendo que a abordagem gestáltica permeia esse trabalho ao trazer o olhar, o sentir, o fazer e o contatar, ao nos dar a base epistemológica e metodológica e o estímulo para construir e aprimorar constantemente esse processo criativo.

Ao promover o contato do adulto com sua criança esquecida, o palhaço traz à tona a possibilidade de voltar a sonhar. Mais que isso, ao sonhar estimula e incita os outros a também acreditar nos sonhos. E para um mundo tão concreto, que invade e aniquila desde cedo o espaço autêntico das fantasias e criações livres, tão ricas em nossas crianças, ser um adulto que sonha pode ser um grande ato de rebeldia contra o sistema.

REFERÊNCIAS

ALVIM, M. B.; RIBEIRO, J. P. "O lugar da experiment-ação no trabalho clínico em Gestalt-terapia". *Estudos e Pesquisas em Psicologia*, Rio de Janeiro, v. 9, n. 1, 2009, p. 37-58.

ALVIM, M. B.; BOMBEN, E.; CARVALHO, N. "Pode deixar que eu resolvo! – Retroflexão e contemporaneidade". *Revista da Abordagem Gestáltica: Phenomenological Studies*, Rio de Janeiro, v. 16, n. 2, 2010, p. 183-88.

BEISSER, A. "A teoria paradoxal da mudança". In: FAGAN, J; SHEPHERD, I. L. (orgs.). *Gestalt-terapia – Teoria, técnicas e aplicações*. Rio de Janeiro: Zahar, 1980.

BASTOS, R. *O clown terapêutico*. Juiz de Fora: Bartlebee, 2017.

CIORNAI, S. *Percursos em arteterapia – Arteterapia gestáltica, arte em psicoterapia, supervisão em arteterapia*. São Paulo: Summus, 2004.

_____. "Relação entre criatividade e saúde na Gestalt-terapia". *Revista do I Encontro Goiano de Gestalt-terapia*, n. 1, 1995, p. 72-75.

DELEUZE, G.; PARNET, C. *Diálogos*. São Paulo: Escuta, 1998.

DIZ, C. "Los caminos del *clown*: resistencia en movimiento. Juego, carnaval y frontera". *Athenea Digital. Revista de pensamiento e investigación social*, v. 2, n. 11, 2011, p. 157-71.

GAULIER, P. *La Torturadora y Tres obras de teatro*. Paris: Filmiko, 2009.

HYCNER, R. *De pessoa a pessoa – Psicoterapia dialógica*. São Paulo: Summus, 1995.

HUIZINGA J. *Homo ludens – O jogo como elemento da cultura*. São Paulo: Perspectiva, 2020.
JARA, J. *El clown, un navegante de las emociones*. Sevilha: Proexdra, 2000.
LECOQ, J. *O corpo poético – Uma pedagogia da criação teatral*. São Paulo: Senac, 2010.
LIBAR, M. *A nobre arte do palhaço*. Rio de Janeiro: M. Libar, 2008.
_____. Entrevista com Marcio Libar. In: *Eu Maior*. Direção: Fernando Schultz e Paulo Schultz. Catalisadora Audiovisual, 2013. (90 min.)
LIMA, P. A. "Criatividade na Gestalt-terapia". *Estudos e Pesquisas em Psicologia*, Rio de Janeiro, v. 9, n. 1, 2009, p. 87-97.
MOREIRA, C. *Técnicas de clown – Una propuesta emancipadora*. Buenos Aires: Inteatro, 2015.
PERLS, F.; HEFFERLINE, R.; GOODMAN, P. *Gestalt-terapia*. São Paulo: Summus, 1997.
RIBEIRO, W. *O que fizemos (continuamos a fazer) das crianças que um dia fomos?* Brasília: Thesaurus, 2015.
RODRIGUES, P.; NUNES, A. L. "Brincar: um olhar gestáltico". *Revista da Abordagem Gestáltica: Phenomenological Studies*, Goiânia, v. 16, n. 2, 2010, p. 189-98.
TÁRREGA, X. "Créativité et jeu". *Cahiers de Gestalt-therapie*, n. 20, 2007, p. 7-40.
THEBAS, C. *O livro do palhaço*. São Paulo: Companhia das Letras, 2005.
TSALLIS, A. C. *Entre terapeutas e palhaços: a recalcitrância em ação*. Tese (doutorado em Psicologia) – Instituto de Psicologia, Universidade do Estado do Rio de Janeiro, Rio de Janeiro, 2005.
_____. "Palhaços: uma possível reflexão para a Gestalt-terapia". In: *Estudos e Pesquisas em Psicologia*, Rio de Janeiro, v. 9, n. 1, 2009, p. 139-51.
VIGNEAU, A. *Clown esencial*. Barcelona: La Llave, 2016.
WINNICOTT, D. W. *O brincar e a realidade*. Rio de Janeiro: Imago, 1975.
ZINKER, J. *Processo criativo em Gestalt-terapia*. São Paulo: Summus, 2007.

4
Ressignificando histórias de vida

MARIA DE FATIMA PEREIRA DIÓGENES

O objetivo deste capítulo é olhar para o processo de psicoterapia como lugar de ressignificação de histórias de vida sob o olhar da Gestalt-terapia. Apresento, também, um modo de manejo clínico com contos e histórias que utilizo em meu trabalho individual e de grupo.

A psicoterapia é, por princípio, um espaço seguro e acolhedor, no qual o cliente conta, reconta e ressignifica suas dores e pesares, seus traumas e conflitos, sua solidão e seus medos. Compreendo o processo de terapia como um lugar de aprendizado – para clientes e terapeutas. Ao ressignificar suas histórias, a pessoa aprende um novo jeito de funcionar na vida.

Enquanto eu revisitava este texto, tive a atenção deslocada para uma entrevista na TV. A repórter estava ouvindo uma senhora que contava a história do filho e o modo como ele tinha sido assassinado na comunidade onde viviam.

Voltei o meu olhar para o título do capítulo, "Ressignificando histórias de vida", e percebi a relação da notícia com o tema que estou desenvolvendo. Percebo, como mãe que sou, o impacto que um acontecimento desse tipo causa na vida de uma pessoa; e, como terapeuta, o duro e longo processo a ser feito para a ressignificação de tão dolorosa história.

Além do sofrimento pela perda do filho, essa mulher enfrenta um câncer já em fase terminal. Ainda assim, considera que "a doença é um sofrimento menor do que a perda de um filho". Está muito magra, seu cabelo caiu totalmente, e o rosto tem a palidez própria de quem está seriamente doente. Sua voz, no entanto, é firme, e sua fala, clara e lúcida, enquanto conta um pouco da história dos dois.

Inicia a entrevista falando da sua solidão e do sentimento de que "a dor do outro e a vida das pessoas não têm importância alguma para o mundo". Apresenta dados da sua realidade para comprovar seus sentimentos: "A delegacia nunca sabe dizer nada sobre o caso... Busco respostas que ninguém me dá, me mandam de um lado para o outro... Tenho feito, sozinha, um trabalho investigatório sobre a morte dele".

Eis aí uma pessoa diante da impotência e da solidão sociais que foram acrescentadas ao seu sofrimento pessoal. Um ser humano em busca de respostas para compreender um acontecimento extremamente significativo para si. A morte é parte da vida e da nossa condição humana, isso é óbvio. A Morte é o fechamento da Grande Gestalt chamada Vida. No entanto, tal como essa mulher, resisto a aceitar que o tipo de morte citado possa ser considerado banal e ordinário – da ordem do dia a dia.

No meio da entrevista, ela diz: "Me perguntam se eu tenho medo da morte porque estou com um câncer em fase terminal. Eu respondo que não. Eu tinha medo de morrer quando meu filho estava vivo, mas agora minha vida não tem mais sentido". Um ser humano em contato com a proximidade da própria finitude, e com a finitude de um ente querido já consumada. Uma pessoa colocada diante do significado da própria vida e da perda do sentido de continuar a existir.

A mulher encerra a entrevista dizendo: "Só quero limpar o nome dele para ter a morte como meu descanso. E então partirei com alegria, pois terei terminado meu processo na Terra". O resgate da dignidade do filho como o suporte necessário para o fechamento da Gestalt da sua existência. A morte como lugar (local que tem significado) de descanso e alegria, porque foi encontrado o significado de ter existido.

Naquele momento, o relato dessa senhora se tornou figura para mim. Escutei atentamente o que ela dizia, sentindo-me presente e conectada com sua história. Sentimentos semelhantes aos que tenho quando acolho as dores e os pesares dos meus clientes. Sua fala simples e profunda trouxe a representação dos temas cotidianos de qualquer consultório psicológico: sentimento de solidão, de não se perceber importante para o outro (outros); a busca de respostas e a angústia pela falta delas; a necessidade de integrar "as partes que faltam" para completar os quebra-cabeças internos; o sentido da vida e a perda dele; a necessidade de fechar as *Gestalten* abertas; a aceitação do encerramento de ciclos; o encontro com a finitude.

Tocada pela história de vida dessa pessoa, meu texto é e não é o mesmo que eu havia escrito.

Em uma sessão de terapia, também trabalhamos com o fenômeno que aparece, em cada momento, em cada sessão, durante todo o processo terapêutico. As figuras emergem, são vistas, significadas, ressignificadas e voltam para o fundo que as abriga, abrindo espaço para novas figuras.

Na terapia, o cliente encontra um lugar para fazer as ressignificações de que necessita, tendo ao seu lado o terapeuta como um guia atento e acolhedor. Aquela mãe, em seu solitário "trabalho investigatório", não tem ao seu lado um outro ser humano para acolher sua dor, e fica "de um lado para o outro" sozinha.

Quando recebo um cliente, imagino que, juntos, vamos fazer uma travessia pelo seu mundo particular e único. A pessoa está escolhendo fazer essa passagem contando com a minha presença, como um guia auxiliar no seu processo de ressignificar *Gestalten* inacabadas.

Para ser um guia, é necessário ter conhecimento da região e dos recursos disponíveis para fazer a travessia. Assim, além da formação teórico-vivencial, é necessário que nós, terapeutas, mergulhemos profundamente em nosso processo terapêutico. Só posso acompanhar meu cliente até onde eu mesma me permiti adentrar em minha "floresta". Sou escritora de contos e histórias, revisito e ressignifico minha história pessoal por meio delas – daí minha familiaridade com esse tema e recurso terapêutico.

A tarefa inicial do terapeuta é acolher o cliente com sua demanda/queixa/dor – "hospedar o cliente", nas palavras de Juliano (1999), ajudando-o a resgatar o contato com os acontecimentos de sua vida que ficaram fixos e o levaram para um lugar de sofrimento e agonia.

À medida que o processo de terapia vai se desenvolvendo, o terapeuta auxilia o cliente a compreender o que veio antes daquilo que ele traz como figura. O cliente aprende a olhar para sua vida em uma perspectiva de configuração mais ampla e encontra o significado do que foi vivido.

No aprofundamento do processo terapêutico, ele vai descobrindo as possibilidades internas e externas para dar novos encaminhamentos às suas questões e transformar as vivências em experiências (vivências com aprendizado).

> Reconstruída a nossa história pessoal, começamos a olhar ao redor e a perceber que alguns temas tão guardados, tão bem escondidos, pertencem à dimensão do humano, não sendo somente uma questão individual. E, portanto, temos muito em comum com outras pessoas. (Juliano, 1999, p. 82)

A Gestalt-terapia me encanta desde o primeiro módulo da minha formação (Fortaleza, 1989) com Maria Alice Queiroz de Brito (Lika Queiroz). Descobri, na abordagem gestáltica e no encontro com Lika, o gosto e a "permissão para ser criativo" (Zinker, 2007), e a ousadia para alçar voos – como Fernão Capelo Gaivota, personagem do escritor Richard Bach no livro de mesmo nome. Aprendi a utilizar vários recursos como experimentos, além da fala. Fui percebendo, durante minha trajetória como cliente, aluna e terapeuta, que tais recursos também possibilitam, ao cliente e ao terapeuta, a descoberta e o desenvolvimento dos seu potencial criativo.

Recordo-me de vários clientes que descobriram ou redescobriram seus talentos para desenhar, pintar, esculpir, confeccionar mandalas, escrever contos etc. por meio de recursos utilizados no processo de terapia.

Lembro, em especial, de uma jovem que participava de um grupo de psicoterapia facilitado por mim. Sua demanda principal era trabalhar o sério bloqueio para falar em público, que estava colocando em risco sua colação de grau por não conseguir apresentar o trabalho de conclusão de curso. Em uma sessão, enquanto ela falava dessa dificuldade, lhe perguntei se gostava de poesia. "Sim, gosto muito", ela respondeu. Então, lhe propus alguns experimentos: ler um poema para o grupo; declamar outra, em pé; expressar a poesia corporalmente; e coisas do tipo. Por várias sessões, a poesia foi nossa fonte de experimentos, pois as outras pessoas se envolveram no processo dessa cliente. Tornou-se um experimento do grupo. Poemas foram trazidos por elas para ser declamados, examinados, discutidos, recriados, e "ganharam corpo". Elas também criaram os próprios textos poéticos.

Profundas elaborações foram feitas durante todo esse processo. Tocamos e fomos tocadas por um coletivo sentimento poético. Ela conseguiu apresentar seu trabalho e sua conquista foi celebrada pelo grupo – todas se sentiam parte da ressignificação do seu bloqueio. Aprendi com os meus mestres da Gestalt-terapia que "o todo é diferente da soma de suas partes", e isso se apresenta de forma muito clara em trabalhos grupais.

Com minha responsabilidade de ser presença e acolhimento, torno-me um guia para ajudar meu cliente a fazer o caminho "de volta para casa" (Cardella, 2017). Revisitar a história de vida, por meio da criação de histórias e contos – falados, escritos ou desenhados –, é um dos recursos que utilizo em meu agir terapêutico para ajudar meu cliente a fazer esse caminho. Ao trabalhar com contos e histórias como experimentos, levo em conta o pensamento de Mortola (2006) de que toda narrativa tem três elementos básicos em sua estrutura: o que ocorreu antes do acontecimento, o acontecimento desestabilizador e suas consequências.

Convido o cliente a escrever (ou contar oralmente) a sua história começando a narrativa com o "Era uma vez..." Descrevendo o funcionamento da sua vida antes do acontecimento desestabilizador, colocando a figura/demanda em foco e expressando seus sentimentos relativos a ela. Como fechamento, sugiro que experimente criar outro final/resolução para o seu conto/história.

Como disse Jorge Ponciano Ribeiro, em um curso sobre o ciclo do contato (Centro Gestáltico de Fortaleza, maio de 2019), "o passado só é passado quando muda a emoção". Ao revisitar sua história, o cliente tem a oportunidade de mudar as emoções relativas ao que viveu e de se dar conta das suas possibilidades de mobilização.

Apresento, a seguir, a experiência com uma cliente que chegou trazendo como queixa uma sensação de "divisão". Como não tinha condições de fazer um longo processo de terapia, ela me propôs um processo de curta duração, focalizado na queixa. Ela já tinha sido minha cliente, o que tornou bastante tranquilo acolher sua solicitação e trabalhar dentro do tempo de que ela dispunha para o processo.

Após um exercício de respiração e relaxamento para facilitar o contato com o tema que ela estava trazendo, convidei-a, já na primeira sessão, a narrar em forma de conto o que estava acontecendo.

"Era uma vez uma mulher que se sentia muito, muito segura, pois, conseguindo realizar todos os seus projetos, caminhava feliz em sua vida. Um dia, aconteceu algo bastante sério com ela, que a deixou extremamente insegura. Na verdade, a deixou despedaçada. Sentia como se tivesse sido dividida ao meio: o tronco e a cabeça jogados para um lado e as pernas e os pés, tortos, para outro canto. O coração, com um buraco enorme, sangrava, largado no chão. Seus sonhos, como pássaros azuis, agora jaziam no fundo da sua vida. Estava profundamente triste e desconectada de si mesma e de tudo que lhe era caro e verdadeiramente importante. Vagava no automático, vivendo porque não queria morrer. Dentro de si mesma, sabia que a solução seria juntar novamente seus pedaços – os sonhos (para os quais deu as costas) e o coração (que deixou de ouvir) – e alinhá-los com suas ações (voltar os pés para a frente). Decidiu recomeçar ouvindo o seu coração; certamente, ele a ajudará a fazer o caminho de volta para si mesma."

Os elementos da sua narrativa – antes do acontecimento ("Era uma vez..."), o acontecimento em si ("Um dia...") e o fechamento ("Dentro de si mesma...") – foram vistos, revistos e revisitados durante o processo de terapia.

O que lhe dava segurança? Quais eram esses projetos? O que a fazia feliz na sua caminhada? O que abriu espaço para esse acontecimento desagregador? O que não tinha conseguido enxergar?

Como e quando se deu conta da sensação de divisão? O que ficou dividido em sua vida? Qual foi o impacto real e o subjetivo do "algo muito sério"? Quais foram as consequências? Que sentimentos permearam a situação? Que sonhos "jaziam ao fundo da sua vida"? Qual era sua responsabilidade em relação ao que aconteceu?

No atual momento e contexto de vida, quais são as suas reais necessidades? Quais as possibilidades de criar alternativas? Como pode ouvir seu coração? Que mudanças de atitudes e ações são possíveis e transformadoras? Qual é o significado do vivido e qual é o novo sentido para viver?

Fechamos o processo terapêutico na décima sexta sessão e, ainda que a terapia tenha focalizado numa demanda específica, a cliente fez um voo por sua história de vida, juntando seus "pedaços" a partir do que tinha significado afetivo para ela.

Apresentei, como relato de caso, as etapas da estrutura básica do trabalho com conto/história que adoto em minha prática como terapeuta. No entanto, as intervenções terapêuticas são realizadas de acordo com cada processo. Não existem regras nem protocolos a seguir. Cada processo de terapia é único e particular, assim como cada história humana. O manejo clínico, em si, depende da habilidade, vivência e experiência do terapeuta com o recurso.

O cliente vem até nós trazendo suas dores, que fantasia como algo que não tem condições de mudar. Eis a dor: ficar preso em um acontecimento do passado ou do presente. Nossa função é ajudá-lo a entrar em contato com essa figura fixa, perceber as oportunidades de transformação e gerar novas possibilidades de movimento. Para Blander (2015, p. 69),

> uma das formas pelas quais as pessoas ficam imobilizadas é a transformação de um processo em andamento em um evento. Os eventos são coisas que ocorrem em um determinado momento e pronto. Uma vez ocorridos, seus resultados são fixos, e nada pode ser feito para mudá-los.

Partindo desse pensamento, o ser humano vive dois grandes eventos; dois acontecimentos imutáveis: o nascimento e a morte. Não podemos "desnascer" nem "desmorrer". Entre o nascimento (abertura para os processos de vida) e a morte (parada dos movimentos de vida), acontece o processo existencial, e, nele, construímos nossa história pessoal. Não podemos desmanchar uma história; no entanto, podemos desenvolver um novo olhar sobre ela e colocá-la em movimento.

Os contos e histórias são recursos terapêuticos que utilizo há muitos anos, tanto no atendimento individual quanto no grupal, como uma das possibilidades para ajudar o cliente a transformar em processo o que ele olha como evento. A partir da integração das partes que ficaram soltas em sua história, surge um novo significado.

Iniciei o trabalho com escrita, contos e histórias a partir de um cliente que trazia sua dificuldade de se expressar verbalmente. Dificuldade que o acompanhava desde a infância e estava lhe causando grande sofrimento. Depois de muitas sessões silenciosas, ele me perguntou se poderia escrever o que estava sentindo naquele momento. Visivelmente aliviado com meu acolhimento, escreveu duas páginas e, em seguida, leu em voz alta para mim. Perguntou se poderia continuar trazendo por escrito o que ele gostaria de trabalhar em cada sessão.

Durante as sessões posteriores, o "ritual" se repetia: ele lia o que tinha escrito e eu, delicadamente, fazia as intervenções que considerava pertinentes. Aos poucos, ele foi se "despregando" dos seus escritos: trazia-os, mas, em vez de lê-los, falava livremente o que tinha escrito. Continuou a trazer seus escritos até o final do processo terapêutico; ainda que não os lesse mais, davam-lhe segurança, dizia. Aprendeu a expressar verbalmente seus sentimentos e necessidades.

Em nossa última sessão, contou que estava experimentando aquele recurso com a esposa, quando iam conversar sobre o relacionamento dos dois – generalizou a aprendizagem. A escrita, no processo psicoterápico, o ajudou a ampliar sua compreensão acerca de si mesmo, da sua família, do seu mundo: a ressignificar sua história.

Como pessoa e como terapeuta, também ressignifico, a cada dia, o meu fazer terapêutico. A partir dessa experiência, levei esse aprendizado para outros processos de psicoterapia, inaugurando, em minha prática terapêutica, a utilização do recurso da escrita. Posteriormente, introduzi a escrita de contos e histórias. Sempre me encanto com o muito que aprendo com meus clientes!

Atualmente, trabalho com histórias e contos de diferentes maneiras em um processo psicoterápico. A forma como os utilizo depende do que o cliente está trazendo no momento do atendimento. Jamais apresento algo já pronto, pois uma sessão de terapia é sempre inteiramente nova, ainda que o cliente possa repetir suas queixas quantas vezes sentir necessidade, até fechar suas *Gestalten* abertas.

Ao contar e recontar sua vida, o cliente vai ligando os pontinhos da sua história, acessando lembranças e ressignificando suas dores.

Nunca cultivar a dor, mas lembrá-la com respeito, por ter sido indutora de uma melhoria, por melhorar quem se é. Se assim for, não é necessário voltar atrás. A aprendizagem estará feita para que a dor não se repita. (Mãe, 2016, p. 187)

Além de convidar o cliente a contar, por escrito ou oralmente, sua história, ou as histórias das suas queixas e sintomas, por vezes também o convido a ler/ouvir um conto/história/poema que imagino que possa auxiliar o seu contato com os temas neles subentendidos.

Incentivo a transposição de linguagens: um recurso pode levar a outro, num ritmado encaixe. É importante ressaltar que, em Gestalt-terapia, o recurso terapêutico serve para facilitar o *dar-se conta*, sendo usado somente quando e se fizer sentido para o cliente.

O método da Gestalt-terapia é fenomenológico: toda e qualquer intervenção é feita a partir do que vai surgindo durante as sessões. Portanto, o relato do caso que apresentarei a seguir é um recorte de um processo terapêutico que venho acompanhando há alguns meses.

Uma jovem mulher chegou ao meu consultório com a seguinte demanda: estava muito angustiada porque as amigas de sua idade estavam grávidas, ou com bebês, e ela não pode ter filhos. Ela nasceu com a síndrome de Mayer-Rokitansky-Küster-Hauser, anomalia congênita do aparelho reprodutor feminino. Acolhi sua angústia, seus choros, sua tristeza. Aos poucos, foi se dando conta de que nunca tinha se interessado em obter, dos médicos, informações mais precisas sobre sua impossibilidade de gestar uma criança. Relata que nunca tinha se importado com este fato, pois sua vida transcorrera normalmente até aquele momento.

O processo de descoberta da síndrome, na adolescência, e todos os procedimentos posteriores (sua anomalia externa foi corrigida com cirurgia) foram feitos com muita tranquilidade, segundo sua fala. No entanto, ainda que de forma velada, ela e a família guardavam isso como um segredo. Agora, ela se fazia perguntas que não sabia responder, pois tinha lembranças muito vagas daquela etapa da sua vida. Progressivamente, em várias sessões, eu a convidei a buscar a história da falta do útero:

Do antes: como era sua vida antes de saber da sua condição física? O que fazia? Como se sentia no mundo?

Do acontecimento: quando e como soube? Que pessoas que estavam envolvidas? Como se sentira ao saber? Como era sua vida naquele tempo?

Após o acontecimento: que mudanças aconteceram depois de tomar conhecimento do fato? Como se sentiu? Como foi o tratamento ao qual foi submetida? Como sua vida transcorreu a partir dali? Por que guardava essa informação como um segredo?

Foram inúmeras sessões, também visitando e revisitando as crises de angústia que a fizeram procurar a terapia:

Do antes: como estava sua vida antes de ter as crises de angústia em decorrência do contato com a impossibilidade de engravidar? O que fazia? Como se sentia? Como era sua relação com a maternidade?

Das crises de angústia e do momento atual: quando começaram? O que estava acontecendo na sua vida como um todo? Existem outros sentimentos envolvidos?

Mais visitas e revisitas à sua história foram feitas, inclusive experimentando dialogar com a parte do seu corpo que lhe faltava. Aos poucos, começou a dar movimento a esses acontecimentos: conversou longamente com a mãe – quis saber como esta havia descoberto a síndrome, e sobre o encaminhamento médico. Teve a oportunidade de ouvir os sentimentos da mãe acerca do assunto, o que lhe permitiu se sentir mais íntima e próxima dela. Sentiu vontade de compartilhar seu segredo com as amigas mais íntimas e experimentar o sentimento de ser aceita por elas, independentemente de ter ou não um útero. Marcou uma consulta com a médica que a acompanhara na época. Entrou em contato com elementos da sua infância e adolescência que tinha "apagado" da memória. Foi, progressivamente, acessando detalhes dos acontecimentos da época, juntando os pedacinhos de suas vivências e reconstruindo sua história de vida. Percebeu seu alto grau de exigência consigo mesma e com a imagem que tinha construído para si mesma: "Tudo é perfeito. Se tudo é perfeito na minha vida, por que nasci com esta síndrome?"

Ao ser convidada a criar um conto sobre si, escreveu:

"Era uma vez uma menina completa. Um dia, ela se deu conta de que faltava uma parte dela. Não era nada perceptível aos olhos e, por isso, somente ela sabia a falta que lhe fazia. Ela sentiu, chorou e buscou respostas que lhe contassem por que tiraram um pedaço dela. Até constatar que a falta sempre existirá e que o que muda é o que é feito dessa falta.

Qual é o sentido de sentir? Por que sentir? Para sentir o que é o presente, dando significado a ele. Resolvendo o passado, se apropriando da história, visitando-a e sabendo que ela simplesmente aconteceu... E hoje estamos aqui."

A cliente se deu conta de que, no seu atual momento de vida, não havia lugar para uma criança (não apenas literalmente). Tem um trabalho que a realiza, um casamento em que se sente feliz, viaja muito, cuida da saúde de forma integral, se sente muito amada pela família e pelos amigos. Em suas palavras, "não falta nada". Também se deu conta de que nunca desejou engravidar – pergunta a si mesma se é porque sabia que não poderia gestar ou se realmente não desejava exercer a maternidade de forma literal. "Não existe falta, sou completa, e não preciso contar para as outras pessoas... nenhuma mulher se apresenta contando que nasceu com útero". Escolheu consultar outro médico e congelar alguns óvulos. Caso decida ter filhos no futuro, terá sua gravidez abrigada no útero de outra mulher.

Escutando e estando presente em tantas histórias ao longo de trinta e nove anos como terapeuta, tenho a confirmação da necessidade do ser humano de entender a própria história e a história dos acontecimentos de sua existência. Ao compreender o que lhe aconteceu, a pessoa encontra o significado das coisas que viveu. Encontrando o significado, pode juntar os pedaços de si mesma e integrá-lo ao momento atual de vida. A figura se completa e ela pode seguir em frente.

Finalizo estas reflexões com a frase da minha jovem cliente sobre seu processo de terapia: "O olho é o mesmo, foi o olhar que mudou".

REFERÊNCIAS

BLANDER, R. *A estrutura da magia – Um livro sobre linguagem e terapia*. Rio de Janeiro: LTC, 2015.
CARDELLA, A. B. *De volta para casa*. Amparo: Gráfica Foca, 2017.
JULIANO, J. C. *A arte de restaurar histórias*. São Paulo: Summus, 1999.
MÃE, V. H. *O filho de mil homens*. São Paulo: Biblioteca Azul, 2016.
MORTOLA, P. *El método Oaklander*. Chile: Cuatro Vientos, 2006.
ZINKER, J. *Processo criativo em Gestalt-terapia*. São Paulo: Summus, 2007.

5
Oficinas de escrita criativa na formação de Gestalt-terapeutas

MARIA TERESA VIGNOLI (TECA)

na vida,
como no verso,

deixar no branco
surgir o inédito.

Este poema aparece como início de nossa conversa, pois nasceu na década de 1990, quando se plantou em mim o desejo de partilhar com os colegas em formação as trilhas da palavra poética que se apresentava como possibilidade de trazer para a expressão vivida a compreensão de nossos fundamentos. Feito espontaneamente, sem que eu estivesse pensando na fenomenologia, senti nele a expressão intuitiva da ideia da "volta às coisas mesmas", ponto de origem da interação ser-no-mundo, em que sujeito e mundo constituem-se mutuamente na antessala da razão, no "lugar" anterior ao pensamento.

    Contarei brevemente um pouco das raízes dessa jornada com a palavra.

    Ao final da minha graduação na Universidade Federal do Rio de Janeiro, eu me mudei para São Paulo e, um ano depois, para Brasília, onde fiz a formação em Gestalt-terapia no início da década de 1980, com Walter Ribeiro. Em 1986, me mudei para Campinas. Em 1991, Walter me convidou para participar de uma mesa sobre terapia de crianças no 3º Encontro Nacional de Gestalt-terapia, que ocorreria em Brasília. Quis declinar do convite, pois não me achava preparada. Seria a minha primeira palestra. O Walter só repetia, com seu jeito carinhoso: "Então, estamos contando com você". Tive de aceitar, dada a minha afeição a ele, mas o fiz com o coração na mão.

Esse desafio foi um impulso para a renovação da minha jornada como terapeuta. Ao pensar na fala a ser feita, veio-me fortemente à memória o hábito que eu tinha de escrever, no tempo da faculdade, em vários cadernos, o que sentia e vivia nos meus embates com as contradições que percebia em nossa sociedade e o que vivia nas minhas relações com as pessoas, com a natureza, com a arte e com os estudos. Alguns escritos tinham uma forma peculiar, davam-me a sensação boa de fechamento de algo antes nebuloso, davam a impressão de ter desenhado com palavras o que eu havia sentido.

O primeiro deles aconteceu numa aula de matemática do cursinho pré-vestibular. Eu estava distraída, embora adorasse matemática. Veio-me a lembrança do encantamento que sentia ao ver as luzes dos postes do aterro do Flamengo sobre as árvores que ficavam abaixo de cada uma. Essa cena me tomava, parecia uma dança mágica. Tentei desenhá-la, mas não tenho talento com o traço. De repente nasceram palavras que formaram um pequeno texto, quase um haicai. Foi muito forte a boa sensação de ter expressado algo que "desenhou" a beleza que eu queria transmitir. Nesse momento começou meu caminho com a poesia, depois partilhado com os futuros amigos dos tempos da faculdade em coletâneas de mimeógrafo e no primeiro livro, uma parceria com três poetas. Por que conto isso? Porque a vida me mostrou que escrever livremente nos revela a nós mesmos e instaura uma forma própria de articular pensamentos e estudos com a vida em si, com a caminhada pessoal.

Os escritos dos cadernos eram muitos e incluíam anotações de sonhos. Às vezes, antes de escrever eu brincava com os lápis de cor, deixando surgir formas espontâneas. Percebi que isso abria a porta de escritos que me surpreendiam com descobertas sonoras e de novos sentidos. Poucos deles seriam depois percebidos como poemas, mas todos me ajudaram a me constituir como pessoa.

Percebi também uma ligação interessante entre essa prática e os estudos de nossos fundamentos, sobretudo os relativos à fenomenologia e à filosofia dialógica.

Voltei a escrever com mais frequência. Deixava surgir, em momentos de silêncio, de pausa no pensamento, palavras, frases e versos que traziam novamente aquela sensação de descoberta e de conforto parecida com a que eu sentia quando vivia fechamentos de situações inconclusas em minha terapia.

Abriu-se uma nova porta para a compreensão das leituras que eu vinha fazendo. Foi como um casamento.

A fala para a mesa do congresso fluiu a partir dessas experiências. Por causa delas, fiz um texto que reconfigurava a memória dos meus primeiros trabalhos como terapeuta, quando ainda estava em Brasília. Veio-me o desejo de propor vivências de desenho e escrita livre a colegas em formação, a fim de abrir espaço para reflexões sobre nossas bases teóricas e nossa prática.

Na volta a Campinas, me matriculei como aluna especial em duas matérias da pós-graduação em Linguística, vinculadas ao estudo da aprendizagem da língua materna.

Esses estudos confirmaram minha sensação de que desenhar espontaneamente facilitava a fluidez numa escrita que eu sentia ser intuitiva. Vi convergências significativas entre as linhas de pesquisa sobre alfabetização que eram abordadas nas aulas e nossos fundamentos epistemológicos. Um dos autores estudados (Nystrand, 1982), por exemplo, compara, analisa e contrapõe dois paradigmas na abordagem do estudo da linguagem. Um seria o paradigma holístico, que enfatiza o caráter sistêmico da linguagem e escrita; o outro seria o paradigma que enfatiza o caráter linear, causal e individual da linguagem e escrita.

Gundlach (1982) preconiza o uso significativo, para a criança, da escrita no processo de alfabetização. Afirma que as crianças começam a escrever de maneira espontânea quando são adequadamente estimuladas e quando chegam a perceber o valor da linguagem escrita. Para ele, essa percepção viria da ampliação do uso funcional de outras atividades simbólicas, como a fala, o desenho e o brincar, que podem servir como ponte para o exercício da escrita. Esses e outros estudos abordados no curso foram um incentivo a mais para a realização das vivências com a escrita. Combinavam com o que eu pensava sobre educação e o processo de letramento.

Eu tinha voltado a clinicar em Campinas em 1990 e atendia muitos estudantes de pós-graduação, a maioria deles da Unicamp. Inúmeras vezes deparei com a angústia de muitos desses estudantes com as dificuldades que enfrentavam para escrever seus trabalhos. Pessoas inteligentes, com bastante conhecimento, de áreas diferentes, sofriam, apresentavam situações de depressão, ansiedade e síndrome do pânico. Intrigava-me que o sofrimento ante a tarefa da escrita fosse tão comum.

Os estudos na linguística e minha experiência com a escrita livre foram o fundo para a criação das primeiras oficinas de escrita que conduzi. A ideia era, entre outras coisas, restabelecer o elo entre o gesto/garatuja/desenho da criança e a escrita, elo este que em geral é partido no começo da alfabetização.

Nos estudos da linguística, dizia-se que as garatujas já eram uma forma de as crianças contarem histórias, de expressarem suas percepções e sentimentos. Os primeiros traços e as garatujas seriam oriundos de gestos, sendo deles uma extensão gráfica. Isso fez todo sentido para mim; realizei um estudo, para uma das matérias do curso, do processo de letramento do meu filho mais velho. Usei uma sequência de seus desenhos, dos primeiros traços até a alfabetização. Ele estudava numa escola da linha construtivista, já mais próxima das propostas de uma alfabetização integradora, em que o brincar não era tão alijado do processo de letramento. Com seus desenhos/escritos e com os da irmã menor e de sobrinhos-netos, criei uma sequência de *slides*. Essa sequência, com um fundo musical com músicas do grupo Uakti, de caráter lúdico, foi o primeiro mote que usei para as oficinas.

Desde então, tenho sido "oficineira" em cursos de especialização, em faculdades, em escolas e em encontros de criatividade com pessoas de várias áreas.

Tem sido um aprendizado encantador para mim, uma alegria, acompanhar o desabrochar do(a) poeta interno(a) de cada pessoa. No caso dos grupos de formação em Gestalt-terapia, sempre são interessantes as trocas, posteriores às vivências e algumas vezes em conjunto com os momentos de partilha, sobre nossos fundamentos e nossas práticas.

Nos primeiros anos em que planejei as oficinas, escrevi vários pequenos textos, reflexões brincantes sobre a proposta. Vou reproduzir aqui um deles, que expressa, de um jeito livre, o que coloquei até aqui:

BRINQUEDOLETRA

Desenhar junto com o traço da criança é percorrer antigos caminhos desconectados, refazer as possibilidades do traço que, ao longo da vida, traz o sentido da experiência pessoal e única de cada ser.

A criança sabe disso, revela-se desde os primeiros rabiscos, conta histórias poeticamente com as garatujas, estrutura miríades de maneiras de expressar a ponte presente em si entre realidade e fantasia.

A criança sabe que pode criar universos com seus desenhos. Ela sabe, mas acaba crescendo e esquecendo.

A criança sabe que a palavra pode também desenhar sentidos, mundos, histórias, mas esquece à medida que dolorosamente, aos poucos, rompe-se o elo entre a magia e a escrita.

Essa criança em nós quer recordar-se e resgatar o prazer de brincar escrevendo, de criar escrevendo, de pintar escrevendo.

Essa criança em nós quer recuperar seu modo pessoal e único de vivenciar a linguagem.

(dezembro de 1994)

Usei, ao longo dos anos, vários motes facilitadores da criação livre. Poemas, filmes curtos, músicas, experiências com o corpo e silêncios fertilizantes, sempre sendo o fundo o encontro em si, o tecido formado pelas singularidades em contato no contexto das vivências.

A cada oficina, reforça-se minha sensação do poder do ato criativo como ponto de partida para as preciosas partilhas e para as reflexões teóricas. Percebo, em vários momentos, que os alunos renovam sua compreensão de alguns conceitos quando os relacionam ao que acabaram de vivenciar. Percebo também que o ato de desenhar e escrever num contexto de grupo, mesmo que realizado individualmente, pode facilitar uma expressão diferente, porque alimentada também pelo campo que se forma ao estarmos no mesmo espaço. O interessante é que em vivências feitas virtualmente, pela plataforma Zoom, também se forma esse campo/encontro, num modo de presença que extrapola o espaço físico.

Cria-se, em conjunto, o clima propício para o exercício de expressão livre com o traço e a palavra quando cuidamos da qualidade da relação que ali acontece e nos colocamos como presença diante das pessoas e do ambiente. Na visão organísmica de nossa abordagem, organismo e meio são polos de um todo em constante mutação e interação dinâmica.

Os estímulos poéticos, imagéticos e de movimento propostos a cada experiência visam criar um campo comum de sensibilização. As possibilidades criativas dos participantes são, então, naturalmente ativadas. Antes da experiência expressiva em si há um momento de pausa, de visita conjunta ao lugar do nada fecundo, ao possível silêncio primordial. Na linguagem da fenomenologia, o "retorno às coisas mesmas", o estado pré-reflexivo e pré-conceitual em que renovamos ciclicamente nossa percepção da vida.

É a partir desse silêncio vivido num contexto dialógico que pode nascer a palavra verdadeira de cada um, que, na terminologia usada por Buber, se contrapõe ao palavreado, a fala vazia de invenção, que repete significados já conhecidos e em que não acontece a presença plena da pessoa que a profere.

De acordo com Buber, essa fala genuína/verdadeira só acontece nos modos de relação EU-TU, mesmo que estes naturalmente se alternem com os modos EU-ISSO de estar com o outro. Na fenomenologia de Merleau-Ponty, essa fala expressiva e criativa é chamada de fala falante ou expressão original, que recria nossa relação com a vida. Estudioso de Merleau-Ponty, Amatuzzi (1989, p. 27) diz: "A fala autêntica é pensamento em ato: não existe um pensamento precedente, do qual ela seria a tradução". A fala vibrante, que nasce no momento de sua expressão, é a linguagem que nos surpreende e nos revela, que também pode acontecer na escrita criativa; é linguagem em estado nascente. Diz Amatuzzi (*ibidem*, p. 35):

> A fala falante é o ato cultural ou a cultura fazendo-se; a fala falada é o produto cultural que, no entanto, serve de rampa de lançamento para novos atos culturais.
> [...] A fala secundária é útil e dá continuidade. A fala original cria. Uma depende da outra. O problema de um paciente de psicoterapia é apenas que seu potencial de criar está bloqueado, e a permanência na continuidade desvitaliza, estiola, debilita. Análoga é a situação do aluno restringido a ser um paciente cultural (incorporador e repetidor de falas faladas), e não um agente cultural (emissor de falas falantes).

Minha intenção é viver com os alunos, nas oficinas, um diálogo no seu sentido mais amplo, um diálogo que vai além das palavras, que acontece nos silêncios, nos gestos, nos movimentos e na maneira de estar em contato. Um diálogo em que aprendemos juntos, em que cada um pode ser um agente cultural – como diz Amatuzzi, um emissor de falas falantes.

Um diálogo em que possa acontecer a palavra viva, que brota pulsante do encontro entre nós e entre cada um e as manifestações artísticas que servem de mote ao trabalho. A palavra que nasce, renovada e original, do complexo campo de interações que envolve nossas singularidades e nossas semelhanças, nossas histórias e nosso presente, nosso corpo e o ambiente em que cada um está, nosso ser total e o campo de vida que o abrange e com ele se relaciona.

Tenho bem presente na memória a forte impressão que me causou, no começo dos estudos de fenomenologia, a fala de Husserl de que a filosofia dele seria inacabada, de que ele não se considerava filósofo, de que filosofar seria um eterno recomeçar. Buber, por sua vez, o criador da fenomenologia dialógica, criticava a filosofia demasiadamente ancorada em conceitos, sem relação com a vida, com o cotidiano das pessoas e das comunidades. Ambos criaram um corpo filosófico consistente e inovador, assim como Merleau-Ponty; os três valorizavam a renovação constante do filosofar e a não cristalização da filosofia em ideias já concebidas.

As reflexões de Buber e Merleau-Ponty sobre a linguagem são sintônicas e dão ênfase à importância da fala que acontece num improviso, nascida do encontro genuíno com o outro e com o mundo, da palavra que cria sentidos no próprio ato da sua expressão. Muitos colegas-autores da Gestalt-terapia afirmam que a fala que melhor expressa esse frescor, a que melhor combina com os pressupostos da fenomenologia, seria a fala/escrita poética.

No capítulo 7 do livro fundador de nossa abordagem, dedicado à linguagem, os autores contrapõem à verbalização cindida, desintegrada do ser total, típica dos estados de neurose, a "boa fala", que flui espontaneamente no agora de sua expressão, correspondente, a meu ver, à ideia de "fala falante" de Merleau-Ponty e de "fala autêntica" de Buber. E ainda acrescentam que "[...] o contrário de uma verbalização neurótica é uma fala criativa e variada; não é nem a semântica científica nem o silêncio; é a poesia." (Perls, Hefferline e Goodman, 1997, p. 130). Afirmam que "um poema é um caso especial de boa fala" (*ibidem*, p. 131), mas que a fala do poeta é um fim em si mesma, voltada para uma "audiência ideal" e não para um interlocutor presente. Ambas, boa fala e poesia, segundo os autores, facilitam, cada uma a seu modo, o fechamento de situações inacabadas. Podem também, penso e vivencio eu, facilitar a emergência, do fundo indiferenciado que nos acompanha, de figuras cujo sentido nos é apresentado pela palavra viva e por outras formas de expressão possíveis.

Perls, Hefferline e Goodman enfatizam o valor do poema e colocam a poesia como atributo dos poetas, como algo próprio do fazer literário em si. Na minha proposta de oficina, a ideia é despertar a criança-poeta que existe em cada um de nós, que independe do fato de assumirmos na sociedade o papel de escritores, de publicarmos poemas em livros e/ou outros meios de divulgação literária.

Poesia diferencia-se de poema, sendo este uma das formas de manifestação do poético, a obra do poeta. Octavio Paz

(1986, p. 14), poeta e ensaísta mexicano, dizia: "[...] o poema é criação, poesia erguida. [...] O poema não é uma forma literária, mas o lugar de encontro entre a poesia e o homem".

Mesmo considerando que o poema é fruto do trabalho do poeta/escritor, Paz, nesse trecho – aliás, conciso e poético –, afirma que o poema tem um sentido mais amplo e abrangente do que o seu caráter literário/cultural, um sentido humano, de encontro com a poesia que mora em cada um de nós.

Um poema que nos toca, quando usado como mote nas oficinas, pode ressoar nesse "lugar" da poesia que nos habita e colocar em movimento o uso criativo e imagético da palavra.

O ato poético não é exclusivo dos(as) poetas; pode ser exercido em momentos de abertura ao silêncio primordial, terra que fertiliza as sementes da palavra lúdica que nos revela a nós e ao outro. Nas oficinas, depois de ver, ouvir e/ou sentir filmes, imagens, poemas ou músicas, e/ou de experimentar movimentos corporais induzidos ou espontâneos, compartilhamos momentos de pausa. Pausa, silêncio, vazio fértil de onde imagens e palavras podem brotar livremente, animadas pelo diálogo com as formas de arte a que nos expusemos e pelas vivências *cri-ativas* com o corpo.

O grande artista Paul Klee, em seus diários, falava da gênese da obra como essencial e a situava no que chamou de "ponto zero da criação" – lugar de onde nasce a garatuja infantil, que reúne as faces gestuais, plásticas e sonoras da linguagem. A cada criança que começa a rabiscar, retoma-se a história da arte no mundo, volta-se às cavernas pré-históricas, em que o traço se fez vida e evoluiu numa crescente possibilidade mágica de representar. A pintura de Klee volta a esse lugar, trazendo o traço que canta, dança, inventa e sonha. Ele refletia também sobre como o grafismo vai dando lugar aos rudimentos da escrita e, aos poucos, à escrita que se estabelece como forma de expressão.

Suas reflexões ressoam fortemente meu desejo de ativar nas pessoas a criança-poeta, que pode deixar nascer novas formas de escrever a partir da retomada do traço despretensioso e livre, do olhar renovado para si mesmo e para o mundo à sua volta, isto é, do olhar renovado para o campo de interação eu-mundo.

Têm sido sempre emocionantes, ao longo desses anos todos, desde os idos dos 1990, os encontros vividos nas oficinas realizadas em vários contextos.

Compartilho, a seguir, minha experiência com uma dessas oficinais de criação, que facilitei para estudantes em formação como Gestalt-terapeutas.

O módulo em questão aconteceu no final de 2020, um ano desafiador e extremamente difícil. O grupo teve apenas um encontro presencial em fevereiro. A partir do segundo, todos os módulos se deram na plataforma Zoom. É interessante que senti, como em geral sinto nos grupos dessa formação, que havia afetividade e integração entre os alunos, apesar de terem se encontrado quase exclusivamente no modo *online*. O afeto rompeu a barreira da distância nesses tempos de pandemia. Inventamos um outro jeito de estar junto, o possível. Isso se aplica a esse grupo e a outros contextos, como o da psicoterapia *online*, e também o da arte. É impressionante a riqueza de shows, *lives*, partilhas realizadas por nossos artistas brasileiros. A vida vai além do previsto. Como uma planta viva que rompe o asfalto que a prendia, o imprevisível nos surpreende com seu inusitado poder e mostra a nossa capacidade de realizar ajustamentos criativos em situações inóspitas. A vida vigora, mesmo num momento de grandes limitações e dores, em que somos assolados por tantas perdas, tantas mortes. A vida vigora no agora. O encontro com essa turma reforçou em mim esse sentimento. Foi reconfortante.

Nosso encontro aconteceu em três períodos, um na sexta à noite e os outros dois no sábado seguinte. Pedi a todos(as) que estivessem com o material expressivo e o celular à mão (para tirar fotos), e também que escolhessem uma relíquia pessoal para estar com ela no dia.

Como motes/estímulos, foram usados:

- O curta-metragem *Dona Cristina perdeu a memória*, de 2002, dirigido por Ana Luíza Azevedo, do grupo Casa de Cinema de Porto Alegre. O roteiro é do cineasta Jorge Furtado.
- Uma apresentação de *slides* com o conteúdo de um livro que lancei em 2019, em parceria com o colega, amigo e fotógrafo Ronaldo Miranda Barbosa. Constituem-se numa série do que chamamos de fotopoemas – 29 pranchas, cada uma com uma foto do Ronaldo e um poema meu; as fotos e os poemas aconteceram como uma criação conjunta.
- Uma música instrumental como fundo de uma experiência criativa com o corpo.

A partir do curta, o pedido foi para que entrassem em contato com suas relíquias e criassem livremente um cenário com desenhos, traços, cores e palavras. Os cenários/desenhos/

escritos serviriam como um novo fundo para as suas relíquias. (Há, no curta, referência a esse tipo de objeto.) Depois de apresentar os fotopoemas do livro, pedi que escolhessem um deles com o qual desejassem entrar em diálogo, permitindo que as palavras surgissem espontaneamente. (Deixei os *slides* ainda circulando, em silêncio, para que ficassem disponíveis para a escolha e vivência.)

Em seguida à partilha desse momento, pedi que cada um(a) tirasse uma foto de algo em sua casa, que estivesse dentro ou fora dela. Algo que chamasse sua atenção em um "passeio" pelas possibilidades. Depois disso, quem quisesse mostraria sua foto. A partir de cada foto mostrada, todos poderiam deixar nascer seu voo com as palavras. Depois, uma nova partilha.

À próxima atividade, uma dança/ciranda espontânea, seguiu-se, novamente, a oficina com desenho e escrita.

No começo do módulo, cada um(a) de nós fez uma apresentação bem simples, mas com o cuidado de, com respeito e delicadamente, nos colocarmos em contato. Esse momento é a base da possibilidade de estar em diálogo, tempo de começar a tecer juntos a possibilidade de um encontro genuíno. Esse cuidado permanece ao longo de todo o processo.

Vejamos a seguir quatro relatos de alunas, pois acho interessante ter algo mais concreto relativo à vivência, como as impressões e produções de pessoas que dela participaram. Penso que os relatos servem de inspiração para reflexões sobre o acontecido e enriquecem o texto com a sabedoria e sensibilidade poética de suas autoras. Elas autorizaram o seu uso neste capítulo.

Os relatos estão em itálico e os nomes atribuídos a eles são fictícios – foram escolhidos pelas autoras.

RELATO DE MARIA

Ante o ano difícil que se passou, 2020, o último encontro da formação em Gestalt-terapia [...] foi [...] ministrado pela Teca, que, com suas palavras, cuidadosamente nos acolheu e nos proporcionou um verdadeiro encontro eu-tu, de tamanha profundidade que me fez assimilar e me transformar naquele momento, me abrindo à poesia, ao novo.

Quando foi pedido que eu tirasse uma foto naquele momento, o mais próximo da natureza (e eu amo a natureza) eram os coqueiros que batiam na minha janela; então, não hesitei e os fotografei de onde estava sentada. A partir disso, fiz poesia. E não só da minha foto, mas de todas as outras que foram compartilhadas pelos meus colegas, que fizeram que o encontro fosse ainda mais especial e significativo. Foto. Poesia. Gestalt. Gratidão por esse encontro. Um pouco do que escrevi, naquele dia:

"Acerola, singular, ela por ela, em relação com o todo, toda hora."

"Janela, é meu respiro."

"A energia que vem das pedras/ cai como pétalas/ no meu desabrochar."

"Praia, que vista! Apreciando essa imagem, escuto o som do mar."

"Sinto o cheiro da pureza, a leveza esverdeada dessa janela que é morada!"

"Lápis de cor, colorido foi o nosso encontro. Obrigada."

RELATO DE APARECIDA

[Com este relato, foram enviadas cinco fotos: uma foto de um chapéu e as outras de seus desenhos e escritos. Como as imagens não tinham resolução suficiente, elas foram suprimidas.]

Relato de um ritual de fechamento de 2020.
Era o último encontro do ano [...]. Foi também uma espécie de encontro comigo, lá, quando após falar sobre Buber [...] tu pediste para olhar pro espaço ao redor e identificar um objeto.
Me encontrei com o meu chapéu Bahia pendurado na parede. Escrevi:
"O chapéu Bahia é antes um sol, referencial e escolha, objeto autêntico de mim; é de palha, pela brevidade de mim. É lembrança de quando conheci – curva de rio. Barril... verdadeiro self."
Esse chapéu é da época em que fui à Bahia fazer uma vivência em um assentamento do MST e acampar numa escola pública, o que foi massa para mim, que desde a adolescência estive em movimentos estudantis. Foi nessa viagem que andei pela primeira vez de avião, que dei um salto pro novo de uma forma linda, convivi com indígenas, aprendi sobre educação popular mais um pouco. [...]
Logo depois da atividade, você falou algo [...] que anotei assim:
"Sendo o encontro uma abertura, desenvolve-se na dimensão da graça, na dimensão do mistério."
Logo depois, você falou da importância do silêncio antes... isso porque existe um "entre" esse processo de se reconectar/ harmonizar com um todo plural e a palavra autêntica.

Você pediu para fazermos movimentos com os braços, colocou música e segui.

Fiz muitos movimentos circulares com as mãos, lembrei de um grupo que tinha com adolescentes antes da pandemia. Na folha está escrito: "Era início de ano, em grupo, roda, movimentos circulares com as mãos". Mais abaixo, segue: "A roda é um abraço".
Mais um desenho, sem pretensão, e desenhei o meu "Folhas – ondas". Lembro de ter fechado os olhos e sentir o lápis no papel um pouco mais.
Depois, você falou para fazermos mais imagens.
Do desenho, você disse: "Quanto mais primários os traços, mais contato com a criança interior". De fato, a minha criancinha aprendeu um tanto da morte nos últimos anos e tá aqui viva, comigo. Naquele momento, lembro de ter sido esse o meu pensamento.

ESCRITO NA IMAGEM

Som / de palha / Tocada / Mato / Tocado / Vento / de braço / Balançando / Tocado / Corpo / Tocante / Voz de / Vento, / Não assovio! Não só. / Vento / Som de dedo / bamboleando / Pés. / Árvore chacoalhada / Pelo vento deixando-se chacoalhar. [...]
Sem dúvida, o que mais me marcou foi quão sutilmente cheguei em coisas profundas. Noto o movimento em que houve uma preparação de espaço, uma ação de colocar para fora sem pretensões, para então compartilharmos com o grupo, para depois você compartilhar os seus poemas. Para então notarmos palavras deles em cada um do grupo.

Da outra imagem... após o filme Dona Cristina perdeu a memória:

Escrito: "Vó, o que a gente é – memória. É gente na gente, pedra, representa um fechamento/abertura, pro novo, novo como todo novo, a gente não sabe. O que a gente não sabe também é memória? Tá tudo junto nessa pedra, o que ela foi, o que foi antes de mim, em mim, em cada canto e agora. E o que virá, e o que eu não sei".

Tinha um colar com uma pedra em cima. Coloquei minha relíquia em cima da folha e pintei espaços entre o cordão enrolado, não todos, preenchia alguns vazios que fui sentindo de pintar.

No rodapé da folha uma lembrança: "A gente é uma relíquia tão grande que a gente se esquece da gente".

Eu acredito que foi coisa de mistério. Foi um ano difícil pro coletivo, o coletivo é algo que prezo muito, trabalho no SUS e me sinto bem, senti ter feito muito do que me fez sentido em estar ali, onde escolhi. Mas foi pesado. E o fechamento da pós foi tão bruma, tão crisálida, tão oráculo. Eu vivi o ano, e naquele início de dezembro fui me conectando a memórias, feitos, lutas que deram ânimo maior para 2021. Foi tipo um "show da virada", ritual de passagem, fechamento/abertura, que contemplei e me vi.

Ao final, você pediu uma imagem para enxergar mais os colegas, através de imagens escolhidas por cada um de nós ao circularmos em nossa casa. Das imagens, escrevi:

"Acerola, pé da minha memória, é casa compartilhada, planta, raiz".

"O marrom madeira, o verde galho. O fundo céu cinza e amarelo claro."

"Quando a pedra não é bruta."

"Quanta vida cabe num galho? – Não se trata de quanto. – Trata-se de vidas e ponto."

"Conversa entre porta e janela."

"As pernas do bambu dançam. Na água, não, não só na água. Não, não só no vaso. E cresce, mais um pouco, para além do vaso."

"A vida se enraíza junto."

"Ei, deixe cá, olhe lá – o verde não pede licença, entra, como gente de casa."

"É, aí mesmo!!! Uma mostra do que tem dentro."

[...] As frases já dizem por elas mesmas. O que ficou, daquele fim de semana, quanto à minha formação, sei agora um tanto; talvez depois, rememorando, saiba um pouco mais. Ficou o que foi. Como com o teu jeito e com os teus recursos facilitou o nosso jeito e os nossos recursos (meus e os que vi do grupo). Como caiu bem diante do contexto (grupo e sociedade). O tempo foi, já é março. Neste momento leio Conceição Evaristo, e ela diz: "A gente combinamos de não morrer". Trago ela aqui porque diz muito sobre todo o contato no final do ano. Estava todo mundo ali, combinando de não morrer com o que foi trazido via poesia, via desenho, via.

Agradeço! Para mim, definitivamente, foi muito bom reconhecer que não morri em 2020, haha.

Já havia morrido há alguns anos, mas como que sabendo que há tempos de morrer e de viver, sigo.

RELATO DE ÍSIS

Teca, com você tive a oportunidade – que prefiro chamar de abertura – de transbordar.

Nesse módulo vivencial senti a potência e a sensibilidade da arte, da fala, da poesia. Foi um momento de encontro, entre os integrantes do grupo, entre meu universo interior e eu, entre memórias e relíquias que há muito estavam guardadas.

A poesia já estava em minha vida, talvez um pouco adormecida, e ali se fez despertar. O encontro entre poesia e Gestalt-terapia, naquele momento, me abriu portas e janelas e foi como se sempre estivessem juntas; fez muito sentido para mim.

Com dinâmicas que nos levaram a "olhar para dentro", a sentir o que viesse espontaneamente, aquilo que emergia, e colocar no papel, expressar, dar abertura. Foi cura. Nessa experiência percebi como a poesia e toda expressão genuína trazem à superfície sentimentos, percepções, clareza de elementos que estavam ao fundo, ainda não visíveis.

Aprendi que tudo que falamos pode ser poesia, pode ser arte, se tiver intencionalidade. Possibilitar esse espaço nos facilita o abrir de portas para dentro de nós mesmos. Nos ajuda a ver com clareza o que antes não estava tão claro assim.

Pra mim poesia é isso. Um resgate do que já estava ali. Você me trouxe esse sentimento, de transbordar eu mesma. E essa água que "escapa" se transforma em poesia.

Sou muito grata por essa possibilidade de abertura e vou levá-la comigo por onde for. [...]

Aqui estão algumas produções minhas que emergiram nessa vivência:

Entre (nome dado posteriormente)

De início, nada
Depois que deixei assentar um pouco
Veio vento no pensamento
E trouxe com ele memórias
Memórias de encontros
Encontros delicados, mas
que ficam e fazem seu lugar em mim.

Vida (nome dado posteriormente)

Janela que se abre
Pra quem quer ver
Um mundo diverso
Há vida lá fora.

(inspirado em uma foto que eu havia tirado da janela)

RELATO DE VALENTINA

O encontro [...] do módulo Processamento Teórico-Vivencial me permitiu mais do que apenas um encontro genuíno, mais do que apenas um modo de existência eu-tu de relação. Teresa possibilitou ao grupo de aspirantes a Gestalt-terapeutas uma relação em que todos aparentavam espacializar-se diante do mistério que é a existência, num encontro em que houve entrega mútua. Permitiu vivências, coloridas de arte, que parecem transcender as fronteiras que nos rodeiam; permitiu revisitar nossos lugares sagrados, que emergiram do que foi experienciado, bem como ampliar o contato e os significados perante o que sentimos.

Transcrevo aqui o que surgiu em mim em relação a algumas dessas vivências.

Primeiramente, sobre o contato que tive com a minha relíquia, que aliás é um leque, o qual ganhei de minha avó:
[...]
"*A vida é assim. Finita. Cheia de encontros e de partidas. Tem quem chega e fica. Tem quem chega e vai embora. Tem aqueles que ficam por um bom tempo. Tem quem fique por um momento. O que eles deixam pra você? O que eles levam de você?*"

Sinto também que Teca presentou o grupo ofertando a possibilidade de uma dança coletiva, mesmo separados devido ao isolamento social.

"*Dancei junto ao mesmo tempo que separado. Como é bom encontrar pessoas que entram na roda com a gente ao mesmo tempo, que te incentivam a estar nela.*"

Por fim, compartilho o que compreendi desse encontro tão recheado de significados:

"*Encontro, particularidades reunidas. Tão diferentes e ao mesmo tempo tanta coisa em comum. Intersubjetividades. Sentimento de pertencimento. Cada vida cotidiana com uma história tão sua e ao mesmo tempo atravessada por tanto*".

A vida que vibra nas palavras de Maria, Aparecida, Ísis e Valentina é a melhor maneira para contar o que me movimentou e movimenta a continuar a fazer as oficinas.

Além delas quatro, no dia do encontro, todos(as) se manifestaram assim, poeticamente.

As partilhas dos desenhos, escritos e impressões tidas nas vivências são ainda mais fortes, pois incluem a presença e a vibração do encontro.

Aprendo sempre, agradeço sempre.

No meu coração se afirma quanto é sagrado estar junto. É como se recuperássemos a magia das rodas de conversa e de contação de histórias de nossos antepassados e dos atuais grupos de indígenas e de comunidades que ainda preservam esses hábitos preciosos.

Precisamos de rituais. A vida está árida. A razão, isolada, não dá conta da amplidão que nos habita, da amplidão que nos circunda. A razão, sozinha, não consegue descrever a tessitura da vida que nos conecta ao Outro e ao Universo. Precisamos visitar os símbolos, ou melhor, abrir a porta para que eles nos visitem num campo comum de experiência.

Precisamos ocupar clareiras e, em volta de uma fogueira imaginária, compartilhar imagens e sentimentos, compartilhar memórias e a vivência do agora.

A poesia pede chão, pede voo. A poesia quer se manifestar na vida. Assim, com simplicidade e abertura. Despretensiosamente. Liberta de padrões. Todos(as) temos um(a) poeta que quer brincar de ser junto, de descobrir junto o que não se conhecia antes, ou que se conhecia mas estava escondido.

A cada encontro vivido com os(as) alunos(as), me renovo e reconfiguro a minha relação com a teoria e com a prática da psicoterapia. Aprendo, apreendo, descubro mais da humanidade que nos anima e nos faz prosseguir, na barca de quem sonha com um mundo mais justo. Um confortador sentimento de pertencimento à tribo dos que buscam aquece o coração.

A cada encontro, mais se afirma em mim a ideia de que estamos mergulhados num campo comum de experiências, que podem ser vividas de forma dialógica. Às vezes me visitam palavras que integram silêncios vividos com os estudos, como estas:

Buscar

O sentido da vida
não está fora.

O sentido da vida
não está dentro.

O sentido da vida cintila
no tecido que entre tudo vibra.

(abril de 2021)

No encontro que descrevi, como sugerem os belos relatos, símbolos, elementos da vida, memórias, sentimentos e reflexões sobre nossos fundamentos dançaram ao ritmo da sensibilidade das pessoas presentes. Fomos visitados pelo vento, pelo mar, por folhas, por pedras, por imagens comuns e imagens singulares. Fomos visitados pela poesia, pelos afetos, pelas lembranças de encontros significativos. Palavras brincaram com objetos e desenhos, palavras nasceram do corpo em movimento, palavras nasceram de silêncios partilhados.

As raízes filosóficas e teóricas de nossa abordagem e os atuais estudos relacionados com elas podem ser renovados, e fazer mais sentido, se visitados em grupo e alargados pela palavra criativa. Em especial, a fenomenologia e a filosofia dialógica, o zen-budismo, o conceito de indiferença criativa de Friedlander, a teoria de campo e a teoria organísmica têm sido sintônicos, como fundo invisível, com as práticas de expressão livre. Integrá-los *cri-ativamente* à vida vivida, sem perder de vista a sua consistência e significância, é coerente com os seus próprios fundamentos.

Meu intuito neste texto foi apenas partilhar a ideia das oficinas poéticas como possível porto para viagens novas no território de nossos estudos e práticas.

Como tenho, cada vez mais, mania de poesia, segue um poema feito em 1998, em homenagem a Martin Buber e ao nosso dia a dia na profissão. Fica como despedida deste pequeno encontro com vocês, leitores.

Entre

Vou a teu encontro
a partir do meu centro:

tecemos uma rede,
desenho que expressa o que nasce neste momento:
o novo sentido que crias
pisando no chão da tua história.

Acolho teu sonho e tua materialidade:

esta sala pode ser o colo
em que aconchegas todos os sentimentos:

tua dor e tua alegria,
teu amor e tua raiva,
teu medo e tua coragem,
teu poder e tua fragilidade,
teus pedidos e tuas preciosas oferendas.

Seja aqui o lugar
em que tuas sementes possam germinar
para que nasçam os frutos
dessa árvore-surpresa que vai sendo teu ser.

REFERÊNCIAS

AMATUZZI. M. M. *O resgate da fala autêntica – Filosofia da psicoterapia e da educação*. Campinas: Papirus, 1989.

BUBER, M. *Eu e tu*. São Paulo: Cortez e Moraes, 1974.

GUNDLACH, R. A. "Children as writers". In: NYSTRAND, M. (org.). *What writers know – The language, process, and structure of written discourse*. Nova York: Academic Press, 1982.

NYSTRAND, M. "Rhetoric's 'audience' and linguistics 'speech community': implications for understanding writing, reading and text". In: NYSTRAND, M. (org.). *What writers know – The language, process, and structure of written discourse*. Nova York: Academic Press, 1982.

PERLS, F., HEFFERLINE, R.; GOODMAN, P. *Gestalt-terapia*. São Paulo: Summus, 1997.

PAZ, O. *El arco y la lira – El poema, la revelación poética, poesía e historia*. México: Fondo de Cultura Económica, 1986.

6
Aquarela como recurso terapêutico

WANNE DE OLIVEIRA BELMINO

INTRODUÇÃO

Contemplo as aquarelas espalhadas sobre a mesa. Percebi que, antes de qualquer linha escrita, eu precisava passear pela minha história com a arte, revisitando pinturas e memórias. Cada imagem contemplada revela detalhes do processo de construção do meu trabalho com arte em psicoterapia, intimamente ligado ao encontro da aquarela como recurso terapêutico.

Antes de conhecer a aquarela, eu já havia decidido internamente que seria uma eterna amante do teatro e da dança, que andaria por todos os museus quanto fosse possível nesta vida e viraria noites embriagada de poesia e música. Essa decisão veio pelo amor à arte, mas também como um consolo para o fato de que eu parecia não conseguir mergulhar fundo em nenhuma prática artística tanto quanto desejava. Portanto, ficaria satisfeita em ser uma grande amante e apreciadora de todas as artes.

A essa altura, eu já havia experimentado muitos materiais e técnicas, como *decoupage* em madeira, pintura com lápis de cor, tinta acrílica e tinta a óleo, modelagem com *biscuits* e pátina em móveis. Nos cursos e formações em Gestalt-terapia, experimentei a potência da colagem, da argila, do desenho, da escrita e da pintura. Essas vivências me levaram a aprofundar o estudo do desenho e da pintura como recursos expressivos e terapêuticos e a passar a utilizá-los nos atendimentos com crianças, adolescentes e adultos, conforme o desejo de cada um.

Esse processo contribuiu sobremaneira para ressignificar a minha relação com a arte, porque passei a valorizar mais o processo, as descobertas, e a focar menos no resultado. Abri mão de ser uma especialista em determinada técnica e passei a honrar todas as minhas andanças artísticas anteriores, considerando-me, a partir de então, uma experimentadora de múltiplas linguagens. Comecei a praticar, pelo prazer da experiência, a arte de dançar, bordar, costurar, pintar; e graças a essa abertura pude vivenciar, mais tarde, as muitas magias da aquarela.

Compreendo que esses movimentos se relacionam com a busca incessante de si por meio da arte, como relata Fayga Ostrower (1999) – um tatear na escuridão, procurando conhecer e experimentar diversos materiais e técnicas, buscando identificações, potencialidades e encontros com o interior. Nesse trajeto, precisamos ficar atentos às inspirações que surgem de toda parte.

Foi assim que, por acaso, conheci a aquarela. Caminhando por uma feira de artes, me encantei com uma pintura. Tratava-se de uma ilustração na capa de um caderno composta por alternâncias de cores sólidas e vivas, manchas e transparências. Pouco tempo depois, comprei um kit básico de aquarela, composto de um pincel, um estojo de tintas em pastilha e papel apropriado.

As primeiras pinceladas foram desafiadoras e empolgantes. Diferente de tudo que eu já havia experimentado, a aquarela criou uma dança de cores no papel molhado. Segui experimentando e me dando conta de que ficava relaxada ao pintar com aguadas bem úmidas e que era extremamente exigente e perfeccionista nas aquarelas com mais contorno. Era também excitante descobrir os efeitos da mistura de cores com a água, as técnicas e possibilidades criativas.

Aprendi, pela experimentação, que a aquarela é fundamentalmente uma técnica simples e que, como diz Birch (2015), não devemos nos preocupar com as excessivas regras estabelecidas por abordagens tradicionais que ditam o que seria uma boa pintura em aquarela.

Para pintar com aquarela, precisamos aplicar a tinta ao suporte com auxílio de água, utilizando comumente um pincel. A tinta é constituída de pigmentos corantes de origem mineral, vegetal e animal, aglutinados com goma arábica e um agente conservador. O suporte comumente utilizado é um papel com gramatura alta, mas pode ser ainda tecido, parede ou papelão. A gramatura indica a espessura do papel: quanto maior ela é, mais água o papel suporta sem rasgar. (Carvalho e Menegucci, 2016; Cecchele e Moreira, 2017; Bonnemasou, 1995). A tinta é encontrada no comércio, em pastilhas e bisnagas, nas formas seca, pastosa e líquida, assim como em lápis aquareláveis.

A maioria de nós está acostumada com tintas à base de água que já vêm diluídas, possibilitando a aplicação imediata no suporte. No caso da aquarela, o uso da água é fundamental para diluir a tinta, por isso suas pinceladas são conhecidas como aguadas. Essa diluição ajuda a criar nuances de cores e transparências, além de dar o aspecto fluido da pintura.

"Fluidez, respingos, efeito escorrido e manchas de cor" (Birsh, 2018, p. 10) são algumas das possibilidades de efeitos da aquarela que podem nos levar a ampliar a percepção de nossos movimentos de vida. O aprofundamento nas experimentações e os estudos da potência terapêutica da aquarela me levaram a adicioná-la à caixinha de artes do consultório.

É importante ressaltar que as pessoas são deixadas livres para escolher se desejam ou não vivenciar o trabalho artístico e estético na sessão, assim como o tipo de material que desejam experimentar em cada momento.

Neste trabalho, faço um recorte da utilização da aquarela em contexto clínico para compreendermos suas especificidades, potencialidades e formas de manejo na psicoterapia individual e em *workshops* em grupo. As minhas experiências profissionais estão alinhadas com o uso de recursos expressivos e artísticos na prática clínica, ancorada nos princípios da Gestalt-terapia. Por meio das construções que apresento, intento contribuir com o fortalecimento das bases teóricas e metodológicas que fundamentam a utilização da aquarela em contexto terapêutico.

CAMINHOS: DA ORIGEM DA AQUARELA AO USO EM CONTEXTO TERAPÊUTICO

Um breve passeio pela história da aquarela nos mostra mais uma vez quanto a humanidade, desde seus primórdios, se expressa por meio de símbolos e desenhos como forma de representar e significar o mundo e as relações.

A origem da aquarela guarda algumas controvérsias; não há como afirmar com exatidão a data de seu surgimento. Possivelmente as primeiras aquarelas foram feitas em paredes de cavernas ainda na pré-história, como demonstram pinturas nas cavernas de Lascaux, na França, e de Altamira, na Espanha. Os estudos indicam que os vestígios de tinta encontrados foram produzidos com pigmentos naturais misturados com água e aplicados nas paredes das cavernas, com ajuda dos dedos, gravetos e pedaços de ossos (Cecchele e Moreira, 2017; Felisberto, 2018).

Os registros seguintes estão no Japão e na China e datam do século 2 d.C., época do surgimento do papel e do pincel (Bonnemasou, 1995; Felisberto, 2018). Nessa época, na China, também se desenvolvia uma pintura chamada *sumiê*, parecida com a aquarela, porém realizada apenas com tinta preta e enfatizando o vazio. Essa pintura é voltada para o desenvolvimento espiritual de quem a realiza e a contempla.

A aquarela começou a ser utilizada para fins artísticos profissionais no século 15, com o advento do Renascimento. Muitos artistas a usavam para o preparo de telas e para ilustração botânica. Entre estes, destacou-se Albrecht Dürer, um precursor da aquarela como técnica independente de pintura e responsável por difundi-la na Europa (Bonnemasou, 1995; Cecchele e Moreira, 2017). Na Inglaterra, destacou-se William Turner, pintor precursor do Impressionismo, estudioso da cor e da luz, que ficou conhecido por representar com muita expressividade e emoção aquarelas com mares turbulentos e paisagens imaginativas.

Segundo Felisberto (2018), a aquarela começou a ser utilizada no Brasil pelo artista francês Jean-Baptiste Debret, viajante explorador que usou a técnica para registrar, por meio de desenhos, a flora e a fauna brasileiras. No entanto, não podemos esquecer que as pinturas no corpo, em cerâmicas e máscaras são características marcantes da cultura indígena. As tintas usadas eram feitas de elementos naturais, como urucum, jenipapo e argila. Especialmente a argila era misturada em água, sendo, portanto, considerada uma aquarela utilizada para pintura corporal.

A aquarela é encantadora em muitos aspectos. Certamente, uma das suas características marcantes é a transparência, efeito que produz a luminosidade da cor. As tonalidades vão se formando pela quantidade de água misturada ao pigmento. Assim, quanto mais água, mais clara e iluminada; quanto menos água, mais sólida e escura.

Alberto Kaplan (*apud* Carvalho e Menegucci, 2016) ressalta a fluidez como uma das principais qualidades dessa técnica. A regulação no uso da água permite criar aquarelas "secas" e molhadas, contornadas e fluidas, ilustrativas e abstratas. São exatamente essas possibilidades que tornam a aquarela tão potente como ferramenta terapêutica.

Como pode ser utilizada em contexto comunitário, clínico, educacional, artístico e hospitalar, por crianças, adolescentes, jovens, adultos e idosos, individualmente ou em grupo, a aquarela constitui-se num recurso democrático, acessível e amplo.

Carvalho e Menegucci (2016), ao utilizá-la em contexto educacional com um grupo de estudantes do curso de Design de Moda, perceberam que as experimentações iniciais despertaram inquietações e inseguranças, possivelmente devido à fluidez da técnica. As alunas relataram dificuldade pela impossibilidade de controlar a tinta e seus efeitos.

Alguns participantes insistiram, inicialmente, em utilizar a tinta com pouca água na tentativa de dominar os efeitos, pois assim estariam trabalhando em terreno conhecido. Nesses casos, houve frustração ao perceber que, sem a fluidez e aquosidade, a técnica não funciona e não é possível obter efeitos diferentes. Diferente das técnicas secas, já dominadas pelos participantes, a aquarela suscitou surpresas e acasos, acontecimentos eficazes para impulsionar a criatividade ao estabelecerem novas conexões e possibilidades de formas e texturas que, se trabalhadas em projetos, podem originar ideias inovadoras para produtos no âmbito do design. (Carvalho e Menegucci, 2016, p. 3)

Lendo essa descrição, percebemos alguns pontos – como insegurança, frustração e controle – que, em se tratando de contexto terapêutico, poderiam ser aprofundados, convidando cada pessoa a conhecer um pouco mais de si a partir de seus processos artísticos. Com relação a isso, Zinker (2007) afirma que o motivo pela qual o ato de desenhar ou pintar pode ser terapêutico é o fato de que, quando vivido como processo, leva o artista a se perceber como uma totalidade, revelada pela tomada de consciência de suas produções.

Considero, assim como Joseph Zinker, que artistas são todas as pessoas que se lançam no risco de viver, espontâneas e abertas à novidade, conscientes da dança entre sensações, percepções e ações, motores de movimentos, transformações e crescimento pessoal.

Trago ainda um exemplo ilustrativo de como a aquarela possibilita a expressão de emoções, imaginação e desejos. A artista espanhola Idoia Lasagabaster (2017, tradução minha) fala sobre seu trabalho:

> Para mim, a aquarela é importante porque me dá liberdade pictórica para expressar meu interior, o que está na minha cabeça, o que imagino [...] A aquarela é imediata, é rápida; também gosto da aquarela porque é imprevisível. Porque você não controla cem por cento da pintura [...] Então, essa imprevisibilidade, essa emoção, não há em outra técnica para mim, porque estou pintando aqui e, ali do outro lado, o que acabei de pintar está se fazendo, secando, criando seus aspectos. Se eu gostar, eu deixo; se não, posso intervir.

Com esses exemplos, notamos que cada artista lida de maneira diferente com a água e a imprevisibilidade. Assim, é muito importante preservarmos a atitude fenomenológica diante das experiências, sempre singulares, de cada pessoa. Para Polster e Polster (2001), o significado e a experiência têm uma inter-relação complexa, sendo importante, antes de tudo, ouvir a história e deixar que o significado se manifeste pela tomada de consciência do que está acontecendo dentro de si, revelando, assim, o fluxo de novas ações.

No contexto terapêutico, a aquarela não é trabalhada com rigor técnico, e sim com liberdade expressiva e experimental. O experimento, para a Gestalt-terapia, é um recurso que prioriza a vivência por meio dos sentidos e não do intelecto ou do racional, é um dar-se conta de si, do vivido no corpo, por meio dos sentidos. É mobilização de energia e excitação na vivência do conteúdo no instante em que este se apresenta.

MERGULHOS: ÁGUA, CORES E FLUIDEZ

A fim de compreendermos de forma mais profunda a potência da água e das cores no uso terapêutico da aquarela, vamos imergir em conhecimentos filosóficos, sociológicos, elementares e artísticos, tecendo pontes com experiências gestálticas com arte.

É simples perceber os efeitos positivos da água em nosso corpo quando sentimos sede, bebemos água e ficamos aliviados, ou estamos cansados e nos percebemos restaurados após tomar um banho.

Para Rinpoche (2017), os elementos nos oferecem uma metáfora que explica a dinâmica que está por trás dos estudos da física, da química e da psicologia e estão relacionados a emoções e estados. Por exemplo, de acordo com ele, a ansiedade pode ser aliviada com um banho quente porque ela está relacionada a excesso de ar ou insuficiência de água. O relaxamento trazido pela água pode ser ampliado para sentirmos conforto na experiência corporal inteira, porque a água "está associada a [...] purificação e limpeza – a sentimentos de paz, conforto e alegria branda" (p. 48).

No artigo "A água e a vida" (1993), Bruni aborda os simbolismos que a água assume nos campos da ciência, da filosofia, da religião e da vida cotidiana. Interessado em compreender a sua importância absoluta desde o princípio da filosofia ("Tudo é água", segundo Tales de Mileto), empreende uma busca que culmina na compreensão do papel que a água desempenha nas mais variadas culturas humanas, nas cosmogonias, nos mitos e nas artes, saindo da perspectiva apenas externa e biológica para contemplar sua importância essencial para a vida psíquica, por sua riqueza de simbolismos: purificação, regeneração, fluidez, vida e morte.

> Água fresca faz olhos claros. E que beleza é olhar uma água límpida! Como é tranquilizante, como é luminoso um banho d'água ótico! De fato, a água nos atrai para o fundo da natureza com seus encantos mágicos, mas só reflete para o homem a sua própria imagem. A água é a imagem da consciência de si mesmo, a imagem do olho humano – a água é o espelho natural do homem. Na água o homem se despe destemidamente de todas as roupagens místicas; à água confia-se ele em sua forma verdadeira, nua; na água desaparecem todas as ilusões sobrenaturais. (Feuerbach *apud* Bruni, 1993, p. 58)

Partindo desse ponto de vista, a água, por sua forte relação com os aspectos emocionais, facilita a expressão e a projeção de quem somos, do nosso lado feminino e da materialidade da transitoriedade do existente. "O arquétipo da água se confunde com a própria imaginação, com o quase--substrato da imaginação material, o plasma onde ela acontece" (Bachelard *apud* Gomes, 2016, p. 4).

No meu processo pessoal, percebo que utilizo muita água na produção das aquarelas quando estou atravessando momentos de ansiedade. As pinceladas leves, a tinta sendo carregada pela água num movimento vivo e dinâmico, as manchas abstratas se formando fluidamente e a liberdade criativa são propriedades que me trazem relaxamento. Além disso, o ato de pintar, por si só, funciona como uma prática meditativa que me ajuda a manter a conexão com o momento presente.

"A expressão artística não é apenas uma catarse, uma mera descarga, é também uma estruturação de tudo que você é, de tudo que você sabe" (Ostrower *apud* Silva, 2016, p. 42).

A partir da sensorialidade experimentada na pintura com a água, do toque suave do pincel e do contato visual com as formas e cores, abro espaço para invenções e aprendizados sobre paciência, confiança e fluxo do viver.

Em meus *workshops* de aquarela, alguns participantes se deliciam com o ritmo próprio das aguadas, brincam e se divertem com os efeitos criados na pintura, enquanto outros experimentam medo de errar e angústia pela falta de controle. Numa perspectiva existencial, a experiência é sempre singular, e cabe ao terapeuta "estimular e facilitar o movimento de criatividade e expressão artística do cliente, sugerindo experimentos, técnicas e facilitando elaborações e buscas" (Ciornai, 2004, p. 37).

Toda pessoa, ao ficar consciente de suas sensações e sentimentos, pode usar a expressão artística como forma de projeção e expressão, construindo criativamente interseções com memórias passadas e vivências presentes, elaborando processos vividos e identificando novos movimentos rumo ao crescimento (Polster e Polster, 2001).

A respeito da cor, vamos resgatar a pintura que inaugurou a arte abstrata no Ocidente, a obra "Primeira aquarela abstrata", de Wassily Kandinsky (1910), em que o artista usou uma paleta de cores primárias: amarelo, vermelho e azul. Em seus estudos, Kandinsky conclui que cada cor tem sua qualidade própria; por exemplo, para ele, "o amarelo é quente, nervoso, irritante; o azul é tranquilo, sério e frio; o vermelho, ardente, apaixonado, viril; o verde, estático, neutro, passivo" (Felisberto, 2018, p. 27).

Na primeira aquarela, Kandinsky demonstra como a disposição de cores e formas é potente para despertar sensações e impressões únicas em quem decide se demorar um pouco mais na apreciação da pintura. "A percepção estética significa não apenas relancear os olhos por algo, mas atentar para ele, fitá-lo, perscrutá-lo – em suma, vê-lo realmente" (Dewey, 2010, p. 33).

A atitude estética é uma abertura circunstancial ao mundo, aos efeitos que o contato com o externo produz na percepção e no sentimento, é uma disponibilidade para o encontro (Pereira, 2011).

Concordando com essa visão, Silva (2016) diz que a experiência de contato visual com as cores exerce uma incontestável atração sobre nós, pois é capaz de transmitir informações, ideias, atmosferas e emoções e despertar sensações, interesses, constituindo-se em uma das mais importantes vivências mediadas pelo olhar compartilhadas pelo ser humano.

Estudiosa das aquarelas de Fayga Ostrower, a autora conclui que a cor como elemento predominante nas composições aquareladas da artista promove uma série de oscilações rítmicas, sendo um modo de expressão de sentimentos, e que

> tanto para Kandinsky quanto para Fayga Ostrower as cores lembram prelúdios musicais que podem ser trabalhados de forma diferenciada. Tudo depende do contexto colorístico e das tonalidades em que determinada obra é formulada. O artista que almeja imprimir seu universo interior em seus trabalhos admira a desenvoltura com que a música alcança esse fim. (Silva, 2016, p. 102)

Para a impressão do universo interior, Violet Oaklander (1980), uma das precursoras do trabalho artístico em Gestalt-terapia, utilizava um exercício em que pedia aos clientes que escolhessem cores para expressar determinados sentimentos. No contexto terapêutico, sempre são os clientes que atribuem significados às cores, representando memórias, pessoas, sentimentos, desejos, dores, incômodos e qualquer outro elemento vivencial.

PONTES: A POTÊNCIA TERAPÊUTICA DA AQUARELA

A aquarela é a melodia das artes visuais. Rítmica, suave, lírica, poética. Fluida, dançante, mágica. Seus tons musicais são compostos pelas camadas de luz e opacidade, pela transparência e solidez. Sua materialidade e seu alcance criativo nos convidam a mergulhos artísticos, estéticos e terapêuticos da primeira pincelada à observação minuciosa da obra pronta. Entendamos um pouco mais desse processo a partir da interlocução com a Gestalt-terapia e a arte enquanto caminho de autoconhecimento.

Independentemente da linguagem, Andrade (2000) afirma que a obra de arte é a concretização da vida psíquica. No fazer artístico, em contexto terapêutico, o cliente transpõe, pelo gesto criador, o que vai se manifestando a partir da própria experiência, corrente dinâmica entre sentir, perceber, expressar e elaborar.

Na mesma linha, Rhyne (2000) aponta que a experiência gestáltica de arte é

> seu eu pessoal complexo fazendo formas de arte, envolvendo-se com as formas que você está criando como fenômenos, observando o que você faz, e, possivelmente, espera, percebendo por meio de suas produções gráficas não apenas como você é agora, mas

também modos alternativos que estão disponíveis para que você possa se tornar a pessoa que gostaria de ser. (Rhyne, 2000, p. 44)

Desse modo, o criar envolve a totalidade humana, a possibilidade de estruturar, organizar e se transformar na relação sujeito-mundo, ao passo que atribui significados ao vivido e integra experiências. A fonte da criatividade artística é o próprio viver; todas as formas expressas na arte – sejam ilustrativas ou abstratas – representam conteúdos existenciais (Ostrower, 1999).

Sentimentos, vivências, desejos, sonhos, projetos encontram espaço para materializar-se em telas, tecidos, papéis, movimentos e sons. Rabiscos, traços, pinceladas, tramas, danças, expressões teatrais e musicais são registros poéticos de nossa passagem na vida. Como nos lembra Zinker (2001, p. 15), criar é "uma declaração ousada: eu estou aqui!"

Na aquarela, nossa expressão de existência e de vida se dá por meio de pinturas, manchas, traços, contornos, mistura de cores e criação de nuances. Assim, o trabalho clínico com aquarela tem suas principais bases nas construções teórico-metodológicas da pintura como ferramenta de autodescoberta e enriquecimento pessoal.

É fundamental que todo trabalho com arte no contexto terapêutico seja pautado pelo respeito absoluto à singularidade dos clientes, pelo posicionamento fenomenológico e não interpretativo na leitura das produções, pela observação e relação da linguagem das formas e dos simbolismos, pelo olhar para a configuração total, seguindo os princípios da psicologia da Gestalt e a crença no poder da atividade expressiva como forma de integração de aprendizado sobre si (Ciornai, 2004).

Gestalt significa um fenômeno em sua totalidade, "uma configuração de partes em inter e intrarrelação, formando uma unidade de sentido" (Ribeiro, 2006, p. 137). O trabalho terapêutico, com base na psicologia da Gestalt e na fenomenologia, caminha para o distanciamento da análise e interpretação da imagem, e encoraja a experiência descritiva do que se percebe; ao descrever as formas, os clientes estão descrevendo a si próprios.

Nos experimentos com aquarela, precisamos realizar o que Ciornai (2004, p. 89) orienta: aprender a observar a linguagem da forma "com o mesmo refinamento de percepção e acuidade que um músico escuta um concerto". Somos dotados da capacidade de perceber os componentes de uma experiência, enxergar a configuração total, recombinar os elementos formando novas totalidades, encontrando em cada passo pistas que revelam algo sobre nosso modo de ser, estar e viver.

Ancorada na visão existencial, compreendo que cada pessoa, ao transpor-se para o papel por meio das tintas, se lança em um mergulho em busca de si, encontrando o conhecido e o desconhecido, desemoldurando-se para se refazer nova, percebendo-se nesse processo como um ser criativo, dotado da potência de ser artista da própria vida.

> Tanto na arte quanto na terapia manifesta-se a capacidade humana de perceber, figurar e reconfigurar suas relações consigo mesmo, com os outros e com o mundo, retirando a experiência humana da corrente rotineira e por vezes automática do cotidiano, colocando-a sob luzes novas e estabelecendo novas relações entre seus elementos, misturando o velho com o novo, o conhecido com

o sonhado, o temido com o vislumbrado, trazendo assim novas integrações, possibilidades e crescimento. (Ciornai, 2004, p. 36)

Uma das grandes preciosidades da aquarela é a capacidade da pintura de se recriar em infinitas formas. Essas transformações são proporcionadas por sua natureza molhada: cada camada de tinta se une à aplicação posterior, transformando-se e criando efeitos inesperados à medida que escolhemos usar mais ou menos água. A arte nos faz sensíveis à vivência de incontáveis transformações.

Quando realizamos um trabalho artístico com plena consciência do processo, vamos percebendo nossa relação dinâmica com a obra e adquirindo clareza do que desejamos expressar ao longo do fazer criativo. Muitas vezes queremos voltar e refazer escolhas. Algumas técnicas permitem essa reelaboração e a realização de alterações concretas na produção. A aquarela é uma das técnicas de pintura mais versáteis, sendo possível retocar partes indesejadas, utilizar incontáveis matizes – da cor transparente à cor sólida –, sobrepor camadas para alterar motivos, permitindo a manifestação do desejo.

Outra virtude da aquarela é o exercício da soltura, potencializada pela presença da fluidez da água. À medida que vai ficando mais confortável com a falta de controle, que vai se liberando e conseguindo ser espontâneo nas aguadas, o cliente pode transpor esses aprendizados para outras situações de sua vida.

Na experiência terapêutica de arte, não há preocupação com a beleza do resultado, embora muitas pessoas inicialmente busquem resultados agradáveis. O belo e valoroso está em vivenciar o processo com inteireza, aproximar-se cada vez mais de si, reconfigurar-se enquanto configura a matéria, ampliando a consciência de suas potencialidades e também de seus limites.

Os aprendizados de cada processo reverberam na vida, porque tudo está interligado e uma construção alimenta o surgimento de outra. Além da potência de mudança e crescimento pessoal, a arte tem o poder de transformar a sociedade.

> Fazer arte é expressar relações, é perceber o que elas são e como podem se transformar tanto no campo artístico quanto na vida. A relação com o outro se amplia, gerando transformação e crescimento na sociedade também. O indivíduo atuante no processo social, político e cultural sente-se parte dessa troca, recebendo influências que se manifestam na produção artística, formando movimentos cíclicos de transformações e criações. Indivíduos criativos tornam a sociedade mais criativa e, vice-versa, em busca da construção de valores mais significativos para a humanidade. (Saviani, 2004, p. 53)

Trabalhar gestalticamente é não perder de vista que vivemos numa sociedade que carece cada vez mais de que retomemos a cooperação, nos influenciando mutuamente e nos estimulando a evoluir coletivamente, respeitando os fluxos e os processos individuais, usando a consciência para abraçar a corresponsabilidade pelo nosso crescimento social.

TRILHAS: O PROCESSO COM AQUARELA

Quando nos lançamos a descobrir veredas e percorrer novas estradas, não podemos esquecer dos ensinamentos de Paulo Freire (1987, p. 155): "Ninguém caminha sem aprender a caminhar, sem aprender a fazer o caminho caminhando". A beleza do processo está justamente em todo dia dar um novo passo na arte de viver.

Diferentemente de outros recursos mais conhecidos ou de uso intuitivo, na aquarela é necessária uma breve explicação a respeito da sua utilização, por ter a especificidade da aplicação da tinta com a água. Frequentemente, esse momento inicial já desperta algumas sensações e *insights*, pois peço às pessoas que estabeleçam uma relação sensorial com a água, tocando, olhando, percebendo, bebendo.

Tanto no consultório quanto nos *workshops*, primeiro convido clientes e participantes a conhecer os materiais. Aos poucos, estimulo-os a pegar um pouco de tinta com o pincel levemente úmido e aplicar sobre o papel seco, técnica de aguada chamada "seco no seco" – uso de pouca água na aplicação. Na escala da fluidez, vou até a aguada "molhado no molhado" – uso de muita água no papel e no pincel. As primeiras pinceladas já permitem perceber que é possível fazer contornos com uso de pouca água, quando a tinta não se espalha facilmente e há mais controle na pintura, e que não é possível ter controle algum nas aplicações sobre o papel molhado.

Para algumas pessoas, surge o encanto com o espelho d'água formado no papel, a surpresa com as pequenas explosões de tinta na folha molhada, com novas cores surgidas das misturas espontâneas que acontecem quando uma cor é levada a tocar a outra pelo fluxo da água.

Para outras, é muito desafiador usar a água, pois ela cria um fluxo vivo e dinâmico da tinta, fazendo-a escorrer para espaços indesejados, misturar cores sem intenção – experiências que, muitas vezes, são compreendidas como erro ou inabilidade, despertando sentimentos de frustração, autocobrança, tristeza e irritabilidade.

Cada pessoa vai estabelecendo seu ritmo de experimentação com base em sua bagagem e nos recursos internos acessados naquele momento. Apresento um relato lindo de uma experiência de aquarela em ateliê arteterapêutico que enfatiza a experiência sensório-motora.

> Achei gostoso passar a mão pelo papel, sentir a água nas palmas [...] Aquela pintura foi feita de maneira completamente diferente da que eu estava acostumada. [...] Não consigo precisar bem agora onde eu estava, mas parece que me "fundi" ao papel, e fazia parte daquilo que estava pintando. Não lembro de quanto tempo fiquei pintando, ou o que ocorreu à minha volta, ou como vieram todos os pensamentos e as sensações que a pintura me mostrou. (Jezler, 2004, p. 23)

A experiência de Inês Jezler com a aquarela, segundo ela própria, permitiu-lhe alcançar emoções e formas de se expressar – na arte e na vida – nunca antes experimentadas. Ela relata que, a partir desse dia, continuou a se abrir inteiramente e a apreciar a sensibilização que antecedia os trabalhos artísticos e terapêuticos, a intensificar o seu contato com a arte e a criar pinturas com sentido e alma.

O processo, o como se faz, é muito importante para a compreensão da totalidade da experiência. Nos atendimentos e *workshops* presenciais, observo a gestualidade da pessoa ao executar a obra, as expressões faciais e corporais, as pausas, as verbalizações e sons, as interrupções e tudo mais que aparecer durante a construção.

No contexto atual de pandemia, a realização dos atendimentos *online* nos tem convidado a agir criativamente na execução dos experimentos com arte e a valorizar a experiência possível, abrindo mão do contexto ideal.

Francisquetti (2004) me trouxe uma luz ao descrever seu trabalho com lições de casa no contexto de formação em arteterapia. Para ela, a lição de casa estimulou as alunas a produzir sozinhas, em lugar íntimo e silencioso, potente para a escuta da voz interior.

Na minha experiência, percebo que escolher e comprar o material, preparar um lugar da casa para essa finalidade e deixar o material disponível para usar sempre que quiser são fatores que estimulam o cliente a experimentar com mais frequência e de forma mais espontânea o fazer artístico.

Dessa forma, o trabalho clínico varia entre realizar a produção artística durante a sessão *online* com os materiais que o cliente tem disponíveis ou sugerir que a experimentação seja realizada no intervalo entre as sessões semanais. Em ambas as situações, o cliente consente em querer ampliar sua percepção por meio da arte.

Em uma experiência, depois de espontaneamente pintar uma aquarela em casa, uma cliente trouxe sua pintura para a sessão com o desejo de aprofundar seus significados. A aquarela representava uma garotinha na chuva, à noite, com vestido esvoaçante, segurando um guarda-chuva. No primeiro momento, ao olhar para sua aquarela, a cliente não atribuiu nenhum significado pessoal, demonstrando curiosidade e abertura para seguirmos o trabalho.

Em Gestalt-terapia, podemos associar o trabalho com imagens a fala espontânea, escrita, contação de histórias, identificação com partes, diálogo entre partes, dentre outros. Convidei-a a respirar profundamente e contemplar a pintura, permitindo que um elemento lhe capturasse. A figura que emergiu do fundo foi a menina. Solicitei à cliente que fosse a menina e falasse em primeira pessoa o que lhe aparecesse. Assim ela descreveu a experiência:

> Eu sou uma menina que saiu de casa escondida dos pais para tomar banho de chuva. Aqui fora me sinto livre e sem medo. Gosto de sentir o vento nos meus cabelos e no meu vestido. Também gosto de sentir as gotas de chuva e nem preciso desse guarda-chuva.

A mobilização dessa experiência levou a cliente a perceber que desejava ter mais liberdade em sua vida, tomada de consciência que a fez mover uma série de transformações na sua organização familiar para conseguir ter experiências mais livres e cheias de sentido.

Em outra experiência, uma aquarela com forte presença de tons vermelhos e amarelos fez a cliente entrar em contato com a sensação de calor, sentido no corpo e compreendido como a importância do sol na sua vida. Ao viver o isolamento social devido à pandemia, a cliente ficou privada de ir à praia, mas por meio das cores da aquarela percebeu que o contato com o sol é fundamental para sua saúde integral. Decidiu, então, tomar sol pelas manhãs no quintal de casa – chegando, desse modo, a um ajustamento criativo saudável.

Assim como na arteterapia gestáltica, na experiência gestáltica com arte sempre consideramos, concordando com Ciornai (2004, p. 91), cada cliente, cada grupo, como um sistema único e especial, e cada trabalho de arte como uma totalidade em si, não redutível nem à compreensão de suas partes nem a leituras que não levem em conta o contato vivo e direto com a pessoa que o criou, sua história, sua subjetividade, sua existência.

Além dos desdobramentos singulares de cada processo com aquarela, esse recurso traz convites bem importantes nesse cenário, no qual vivemos cada vez mais apressados, inquietos e ansiosos. O tempo de espera entre a secagem de uma camada e outra inspira a praticar a paciência e a respeitar o tempo de cada coisa; a pintura é um convite à presença; a fluidez ajuda a abraçar caminhos diferentes e abrir mão da rigidez; o ato de pintar desperta o desejo de observar com mais acuidade o mundo que nos rodeia, levando a perceber detalhes nunca antes observados e potencializando nossa relação com a natureza.

"Crescer, saber de si, descobrir seu potencial e realizá-lo: é uma necessidade interna" (Ostrower, 1999, p. 6). Existem muitos caminhos para essa aventura, e pelas trilhas da arte, cada um de nós pode estar mais consigo mesmo, caminhando para imersões profundas a fim de construir uma consciência de si e de sua ligação com a totalidade da vida.

CONSIDERAÇÕES FINAIS

Vivemos tempos em que toda experiência de crescimento pessoal tem uma grande importância para a humanidade. Observamos um número crescente de adoecimentos relativos aos modos de vida contemporâneos; por isso, interessar-se em evoluir pessoalmente e não entrar na roda viva de forma neurótica nutre um fluxo na contramão dos modelos de dominação social pautados no poder autoritário e desumano.

As experiências artísticas e estéticas são convites à pausa no meio do caos, ao encontro com partes esquecidas, gostos abandonados no fundo das gavetas. Resgatar o hábito de pintar, desenhar, tocar um instrumento musical, dançar pode ser regulador da nossa saúde e bem-estar e propulsor de movimentos autênticos, livres e nutritivos.

Considero que a prática da aquarela é um recurso que permite realizar um contato profundo com a sensorialidade e as emoções – e, quando mediado em contexto terapêutico, leva a descobertas importantes e transformações necessárias. No entanto, o mais importante é que cada pessoa atente para descobrir que manifestações artísticas lhe interessam verdadeiramente e cuide dos bloqueios criativos que muitas vezes impedem a experimentação.

A reconexão com nossos ritmos internos, o estabelecimento de fluxos saudáveis de experiências e o fortalecimento de nossa potência criativa são fundamentais para as transformações sociais que almejamos. A natureza é flexível, mutável e cíclica; portanto, assim também somos.

REFERÊNCIAS

ANDRADE, L. Q. *Terapias expressivas*. Campinas: Vetor, 2000.
BIRCH, H. *Aquarela – Inspirações e técnicas de artistas contemporâneos*. São Paulo: Gustavo Gili, 2015.
BONNEMASOU, V. R. V. *A poética da aquarela*. Dissertação (mestrado em Artes Plásticas) – Instituto de Artes, Universidade Federal de Campinas, Campinas, São Paulo, 1995.
BRUNI, J. C. "A água e a vida". *Tempo social*, v. 5, 1993, p. 53-65.
CARVALHO, P. T.; MENEGUCCI, F. "Aquarela na ilustração contemporânea". (Resumo). Anais da Jornada Científica e Tecnológica e Simpósio de Pós-Graduação do Ifsuldeminas (Minas Gerais), v. 8, 2016.

CECCHELE, M. R.; MOREIRA, M. G. "Dissertação sobre arte e sociedade, aquarela e tintas naturais". (Resumo). Anais do 5.º Simpósio de Sustentabilidade e Contemporaneidade nas Ciências Sociais (Cascavel, Paraná), v. 5, 2017.

CIORNAI, S. "Arteterapia gestáltica". In: CIORNAI, S. (org.) *Percursos em arteterapia – Arteterapia gestáltica, arte em psicoterapia, supervisão em arteterapia*. São Paulo: Summus, 2004.

DEWEY, J. *Arte como experiência*. São Paulo: Martins Fontes, 2010.

FELISBERTO, A. E. *A aquarela na obra da artista caxiense Genoveva Parmeggiani Finkler*. Monografia (licenciatura em Artes Visuais) – Universidade de Caxias do Sul, Caxias do Sul, Rio Grande do Sul, 2018.

FRANCISQUETTI, A. A. "Lições de casa". In: CIORNAI, S. (org.). *Percursos em arteterapia – Ateliê terapêutico, arteterapia no trabalho comunitário, trabalho plástico e linguagem expressiva, arteterapia e história da arte*. São Paulo: Summus, 2004.

FREIRE, Paulo. *Pedagogia do oprimido*. Rio de Janeiro: Paz e Terra, 1987.

GOMES, M. B. "Gaston Bachelard e a metapoética dos quatro elementos". *Estética*, São Paulo, n. 11, 2016, p. 1-9.

JEZLER, I. N. "Ateliê terapêutico na formação de arteterapeutas". Coord. Cristina Dias Allessandrini. In: CIORNAI, S. (org.). *Percursos em Arteterapia – Ateliê terapêutico, arteterapia no trabalho comunitário, trabalho plástico e linguagem expressiva, arteterapia e história da arte*. São Paulo: Summus, 2004.

OAKLANDER, V. *Descobrindo crianças – Abordagem gestáltica com crianças e adolescentes*. São Paulo: Summus, 1980.

OSTROWER, F. *Acasos e criação artística*. Rio de Janeiro: Campus, 1999.

PEREIRA, M. V. "Contribuições para entender a experiência estética." *Revista Lusófona de Educação*, v. 18, 2011, p. 111-123.

POLSTER, E.; POLSTER, M. *Gestalt terapia integrada*. São Paulo: Summus, 2001.

RHYNE, J. *Arte e Gestalt – Padrões que convergem*. São Paulo: Summus, 2000.

RIBEIRO, J. P. *Vade mécum de Gestalt-terapia – Conceitos básicos*. São Paulo: Summus, 2006.

RINPOCHE, T. W. *A cura através da forma, da energia e da luz – Os cinco elementos no xamanismo, no tantra e no Dzogchen do Tibete*. Teresópolis: Lúcida Letra, 2017.

SAVIANI, I. "Ateliê terapêutico – Encontrarte: viver arte, criar e recriar a vida". In: CIORNAI, S. (org.). *Percursos em Arteterapia – Ateliê terapêutico, arteterapia no trabalho comunitário, trabalho plástico e linguagem expressiva, arteterapia e história da arte*. São Paulo: Summus, 2004.

SILVA, W. C. *Aquarelas – A linguagem das cores em Fayga Ostrower*. Dissertação (mestrado em Artes) – Centro de Artes, Universidade Federal do Espírito Santo, Vitória, Espírito Santo, 2016.

LASAGABASTER, Idoia. Entrevista concedida a Kettly Fernandes. Disponível em: <https://kettlyfernandes.com.br/2017/10/entrevista-com-idoia-lasagabaster--espanhola-referencia-em-aquarela-com-dicas/>, acesso em: 20 maio 2021.

ZINKER, J. *Processo criativo em Gestalt-terapia*. São Paulo: Summus, 2007.

7
Música, Gestalt-musicoterapia e a *awareness* do campo

PAULO DE TARSO DE CASTRO PEIXOTO

PRELÚDIOS BIOMUSICAIS EM POLIFONIAS

A vida humana é banhada por música desde a sua gestação. No útero, o broto de vida é envolvido pelas sonoridades do oceano amniótico. A cadência rítmica do coração materno e outros coloridos sonoros constituem a sinfonia musical do universo de cada ser em gestação. Múltiplas paisagens sonoras vão se integrando à aurora da vida humana.

Com o tempo, a musicalidade da vida do feto ganha os sons que vêm de fora. A voz da mãe quando fala e canta e a voz de quem estiver em torno dela produzem esse cenário sonoro envolvente. A musicalidade da vida se faz entre todos, gerando o que chamamos de "biomusicalidade". Bebê e ambiente compõem acordes contatuais sensíveis de estado de presença sensorial mútua (Peixoto, 2019). Ele sente a presença viva da musicalidade do entorno, expressando-se com acrobacias e movimentos que vão, pouco a pouco, se complexificando.

A vida do bebê ganha outras paisagens sonoras após o nascimento. Ele já nasce buscando as fontes sonoras que o envolvem (Monteiro, 2011). Com menos de 24 horas de nascido, inclina-se em direção à voz materna (Ockelford apud Negreiros, 2008). Esta, nas palavras de Aberastury e Alvarez (*ibidem*) é o leite sonoro que o alimenta pelos ouvidos.

Por conseguinte, as relações entre a música e o processo de produção da vida intersubjetiva-intercorpórea podem ser encontradas na história da humanidade. Na Grécia clássica, a música tinha papel fundamental na educação voltada para a construção do *éthos* dos seus povos. Ao lado das outras artes, era compreendida como elemento fundamental para a produção da subjetividade e da alma de uma civilização.

A sociedade espartana concebia a experiência musical como fundamental para a vida de sua sociedade. Em *Paideia – A formação do homem grego*, Werner Jaeger (2003, p. 129) diz: "É fácil imaginar a influência desta força artística numa época em que ela pôde expandir-se na plenitude da sua vitalidade original".

Vê-se que a vida na era clássica da humanidade tinha a presença viva desse "leite sonoro-biomusical", nutriente produtor de vínculos potentes para a construção da cidade.

Miguel Wisnik (1989), em seu instigante livro *O som e o sentido*, explica que as escalas musicais variam muito de um contexto cultural para outro. Ele relata os sistemas árabe e indiano com suas formas singulares de "ser". Por isso conseguimos identificar que uma música tem sua forma japonesa, brasileira, francesa, árabe, chinesa e tantas outras "almas sonoro-musicais".

A música nos leva a lugares desconhecidos em nós. Ela acessa caminhos obscuros que se abrem a partir da sua fluidez e das sonoridades estrangeiras ao mundo das palavras.

Não foi à toa que Leonardo da Vinci fez uma homenagem à música, afirmando, em seu tratado sobre a pintura, *Paragon* (*apud* Winternitz, 1982, p. 22): "Música, a figuração de coisas invisíveis". Nessa obra, ele desenvolve ideias extremamente originais a respeito da filosofia da música e de suas relações com a filosofia da pintura, dedicando à estética musical o lugar mais privilegiado das artes.

Também não foi à toa que Nietzsche (1980) dedicou atenção especial à música em sua obra *O nascimento da tragédia no espírito da música*, escrita em 1872. O filósofo nos apresenta os princípios artísticos e estéticos ligados às potências apolínea e dionisíaca. Como potência da constituição das formas, a primeira está ligada ao princípio da individuação, da consonância musical; é aquela que dá forma ao caos.

Já a potência da estética musical dionisíaca confere novos movimentos (*Gestaltung*) às formas já individuadas (*Gestalten*). Como capacidade de produzir as "primaveras da vida", ela irrompe em nossos modos de sentir, de viver, de perceber o mundo. Como potência primaveril, libera exageros, mas também liberta aquilo que está "estático" em nossos modos de sentir e de viver. A potência dionisíaca atinge seu ápice quando não se perde na desmesura, podendo se aliançar aos ritmos e cadências harmônicas da potência apolínea. Ambas se encontram para formar a dança, o movimento dinâmico e estético na construção de novos sentidos para a existência.

Por sua vez, temos a bela experiência de Laura Perls (2001), marcada pelo "espírito da música" desde a infância. Laura apresenta o papel fundamental dessa arte em sua vida. Escutava música desde o berço, e iniciou os estudos ao piano aos 5 anos. Laura nos conta uma passagem incrível: começou a ler as notas musicais antes de ler qualquer outra coisa. Sua mãe tocava piano maravilhosamente. Entre 12 e 14 anos, Laura já tocava melhor que ela.

A Gestalt-terapia segue os princípios do paradigma estético das artes, pois vários de seus fundadores se deleitaram neles. Laura nos diz que a terapia se aproxima muito mais do domínio das artes que das ciências – requer sensibilidade, visão de conjunto, muita intuição, e tem o poder de dar forma a uma multidão de experiências, muitas vezes disparatadas e incompatíveis. A terapia e a alma artista são indissociáveis.

GESTALT-JAZZ-TERAPIA, SENCIÊNCIA AWARE E O RITMO COMO PRINCÍPIO DAS FORMAS

Num belo artigo intitulado "Tirer un trait" (2006), Michael Vincent Miller (2006) afirma que a terapia é muito mais parecida com o jazz que com a música clássica e erudita. Essa afirmação nos encaminha à imagem do encontro clínico como experiência aberta ao inesperado, à ousadia, às incertezas – e ao desconhecido.

Daí as ressonâncias da Gestalt-terapia com os princípios estéticos da música e da musicoterapia. Princípios que nos orientam para o aguçar dos sentidos, ao desenvolver uma sensibilidade que necessita ser "polida" permanentemente. Princípios que norteiam nossa busca da "beleza" das formas, as quais se forjam pelo ritmo das consonâncias e dissonâncias das tessituras afetivas dos contatos e se manifestam pelos processos criativos dessas abordagens.

O musicoterapeuta Kenneth Bruscia (2016) fala sobre o paradigma estético como norteador da clínica musicoterápica, sendo aquele que se fundamenta na criatividade e na construção de caminhos de sentido que acolhem os conflitos e os paroxismos da existência como uma obra de arte. A terapia seria um meio de "estetizar as formas existenciais", como podemos ver no belo livro coordenado por Jean-Marie Robine, *La psychothérapie comme esthétique* (2006). Diremos que um Gestalt-terapeuta ou um "Gestalt-musicoterapeuta", seguindo os princípios estéticos na clínica, precisará ser um bom "jazzista"! Um terapeuta com "alma esteta jazzística" percepcionará as silhuetas das emoções, das palavras e de todos os signos afetivos que atravessam o campo de afetação de que é parte, como melodias que tecem a partitura do encontro clínico.

Miller nos convida, assim como Laura, a compreender que a vida é uma composição que ganha forma e se "transforma" a partir das modulações afetivas e das variações rítmicas dos contatos. Essa é a aventura de abrir-se ao encontro clínico, desenvolvendo a capacidade de perceber o desconhecido, "as notas melódicas afetivas" imprevistas que não estavam escritas nas "partituras habituais" do encontro.

Trata-se de desenvolver a senciência implícita e imediata do campo: estar sensivelmente presente com aquilo que emana do fundo de cada um de nós e com o que se manifesta do fundo da situação da qual fazemos parte. Fazemos "acordes sensíveis" com o campo em que estamos situados, num estado de presença *aware* daquilo que se passa em nós e no campo de experiência. Sensorialmente, para além das palavras, temos percepções sensíveis daquilo que circula no processo intercorpóreo-intersubjetivo do campo terapêutico. Inspirados em Alvim (2016), diremos que nessas experiências estamos sencientes da formação do fundo comum da situação, feito de tantos signos afetivos.

As filosofias de Spinoza, Merleau-Ponty, Nietzsche, Deleuze e Guattari indicam a potência desse corpo-intersubjetividade que percepciona sentidos muito antes de se formar uma ideia clara e distinta mediada por procedimentos lógicos, pela razão.

O terapeuta com "alma jazzística" acompanha, diremos nós, o processo de formação do campo biomusical em contrapontos, ou seja, da musicalidade da vida do encontro clínico. Ele se arrisca, ousa, improvisa e convida o paciente a mergulhar na imprevisibilidade do desconhecido. Como dois músicos que acompanham os movimentos das melodias, dos ritmos e cadências harmônicas consonantes e dissonantes, terapeuta-paciente-grupo compõem, juntos, a musicalidade da vida do campo, que ganha, sempre, uma nova silhueta-forma. As palavras imprevistas aparecem como "notas de passagem"; os silêncios surgem como "pausas melódicas" que levam ao estado de "vazio fértil", de onde novas expressões emocionais podem emergir.

O campo ganha novas formas à medida que se dá esse processo de senciência implícita e imediata, como uma ciência do sentir, da alma sensível, sensorial – uma *scientia animae sensibilis* (Peixoto, 2000, 2012, 2018, 2021). Alvim, em seu instigante e frutuoso livro *A poética da experiência – Gestalt-terapia, fenomenologia e arte* (2014a), nos inspira a pensar o campo clínico como um processo de cocriação estético-pático-sensível, pulsado por processos pré-reflexivos produtores de sentidos primeiros. A *scientia animae sensibilis*, por sua vez, compreendida como uma ciência sensorial, se liga ao conceito de *awareness*.

A mesma autora, em seu belo artigo "Awareness: experiência e saber da experiência" (2014b, p. 185), define o conceito de *awareness* como "[...] o fluxo da experiência aqui-agora que, a partir do sentir e do excitamento presentes no campo, orienta a formação de *Gestalten*, produzindo um saber tácito". Temos a paisagem da produção de conhecimentos cocriados do campo terapeuta-paciente-grupo, de onde se engendra uma semiologia afetiva dos signos-sinais que atravessam esse mesmo campo. Terapeuta-paciente-grupo se tornam sencientes daquilo que advém de seus corpos-intersubjetividades quando são percutidos pelos signos afetivos que pulsam desse campo de afetação. Temos a paisagem de uma "semiologia estética", uma semiologia afetiva dos signos-sinais que tecem as melodias da partitura do encontro clínico... como uma obra musical! Obra que se faz da senciência *aware*, compreendida como *awareness* do campo (Peixoto, 2021).

Partindo da proposta de Michael Vincent Miller, que versa sobre o espaço clínico como uma experiência jazzística, compreendemos as histórias de vida das pessoas que acompanhamos a cada dia como repertórios de experiências que perderam, em maior ou menor grau, a capacidade inventiva e "crianceira" de viver. A potência "crianceira", a capacidade de "criançar" – em outras palavras, de despertar a potência-criança que nos habita, em suas capacidades inventivas, curiosas, que nos mergulham nos mistérios e nos enigmas que a vida proporciona – pode, gradualmente, declinar no percurso da existência.

A Gestalt-terapia já é "jazzística" por nascença, por meio do conceito de ajustamento criador. Esse é o princípio atualizador das formas em estado nascente de novos movimentos.

Inspirados em Aristóteles, o filósofo peripatético, ou seja, aquele que caminhava para dar novos movimentos às ideias, diremos que os ajustamentos criadores produzem o "peripatetismo das formas" do corpo-intersubjetividade terapeuta-paciente-grupo, advindo do campo de afetação clínico. Este é, por excelência, o espaço onde o movimento das formas se tece pelos contrapontos afetivos entre terapeuta, paciente e grupo. O peripatetismo das formas expressa os ritmos dos contatos; estes são feitos pelos movimentos rítmicos afetivos que circulam no campo terapêutico.

O ritmo é a experiência germinal das formas, como nos diz Henry Maldiney em seu artigo "L'esthétique des rythmes" (1967). Encontramos nesse autor os princípios para o processo de atualização rítmica das formas. Maldiney, citando Paul Klee, fala do processo de emergência da forma como o "nascimento de um mundo". O nascimento de uma forma é seu momento "cosmogenético", rítmico, sendo um ponto de emergência no fluxo do processo temporal. O aparecimento de uma forma depende dos ritmos que colocam a forma em movimento (*Gestaltung*), a partir do presente, em sua dimensão infinitiva e pulsante. Podemos compreender essa dimensão infinitiva dos ritmos como os verbos no infinitivo: a forma-cantar; a forma-falar; dançar; correr; amar; gozar etc.

Não à toa Laura Perls considerava a importância do processo de formação e de atualização das formas (*Gestaltung*) para a compreensão de uma forma individuada (Gestalt). Laura, como excelente musicista, já utilizava a potência da senciência implícita e imediata do campo. Ela acompanhava o presente em seu estado permanente de nascença. Percepcionava, no ato mesmo da execução do piano, a estética dos movimentos das silhuetas musicais, numa experiência de presença viva e senciente das formas sonoras em devir, das formas musicais em movimento.

Maldiney (1967, p. 24), a esse respeito, nos dirá: "O tempo do ritmo é tempo de presença". A forma é filha do ritmo, filha de uma estética do presente vivo e pulsante.

Assim como uma música é feita de "crises" sucessivas, ou seja, seus sons, timbres, ritmos, harmonias não são contínuos, um diálogo clínico também não o é. A música vive situações de crise que expressam as descontinuidades em meio ao seu processo contínuo. Os sons, ritmos, harmonias, timbres dos instrumentos, pausas etc. se integram na descontinuidade da música. Ela nasce e renasce no processo de execução dos músicos. O mesmo se passa num processo clínico.

Weizsäcker afirma que essas situações "críticas" de desaparecimento e renascimento podem ser compreendidas pela noção de "unidade de coerência" (*Kohärenz*), que significa a continuidade de um conjunto constituído pelo organismo e pelo meio, mesmo que ocorram rupturas provocadas por crises sucessivas. Esse fluxo dinâmico pode ser percepcionado na musicalidade do encontro clínico. As palavras ganham cadências rítmicas que entram em sincronia com os temas desenvolvidos pelos contrapontos entre terapeuta, paciente e grupo. O tema da descontinuidade em meio à continuidade é fundamental para se pensar a construção da partitura das experiências clínicas biomusicalmente em contrapontos.

As formas em movimento (*Gestaltung*) expressam o que Weizsäcker, citado pelo psiquiatra japonês Bin Kimura (2000), conceitua como *Gestaltkreis*, ou seja, o círculo da forma. O conceito de *Gestaltkreis* pode ser compreendido como as silhuetas-peles que envolvem e revestem as formas em movimento. As silhuetas-peles das formas em movimento podem ser sentidas quando as sensações, percepções e emoções que são partilhadas no campo clínico adquirem, pouco a pouco, consistência, dando liga e produzindo sentido na relação em seu processo de formação. Num encontro clínico, um tema ganha novos movimentos, novos contornos, novas silhuetas. O "tema" é entrecortado por imagens, lembranças, sensações, sentimentos, que lhe dão novas paisagens de sensibilidade e sentido. No encontro clínico podemos sentir o movimento das bordas transientes que dão fronteira à relação terapeuta-paciente-grupo. Bordas-silhuetas que envolvem os contatos em seus processos de transformação. Assim como as asas de uma borboleta desenham novas formas-silhuetas em seu voo na relação com os ventos e as flores, o encontro clínico também desenha as suas. As formas-silhuetas do encontro entre terapeuta, paciente e grupo são traçadas em novas paisagens pelas variações rítmicas dos contatos e através das modulações afetivas que nascem de instante a instante.

Weizsäcker (*apud* Maldiney, 1967, p. 34) dirá: "Do ponto de vista espacial, a forma é o lugar de encontro entre o organismo e o *Umwelt* (mundo próprio – ambiente próprio); do ponto de vista temporal, a forma deve ser considerada como uma gênese do presente a todo momento dado". Para pensarmos uma estética dos processos de nascimento das formas em movimento, podemos nos apoiar em Maldiney (1967, p. 17), que afirma, citando Paul Klee: "Uma obra é um caminho. Uma obra é o caminho dela mesma". Uma forma é o caminho dela mesma. Ela é a Gestalt, como emergência de uma melodia composta pelo caminho de formação da sua forma singular, transitiva e transiente.

Diz Maldiney (*ibidem*, p. 17, tradução nossa):

Klee a nomeia em alemão não *Gestalt* (= forma, estrutura), mas *Gestaltung* (= formação, organização). "A teoria da *Gestaltung* se preocupa com os caminhos que levam à *Gestalt* (forma). Esta é a teoria da forma, mas enfatiza o caminho que a constitui". Esse caminho não é exterior à própria forma, uma vez que é sua gênese. "A gênese como movimento tanto formal quanto formativo", diz Paul Klee, "é a essência da obra". Não há uma obra "feita", mas somente "se fazendo". A forma em sua gênese não só configura seu espaço, como a configura temporalmente. Os caminhos da forma são "caminhos que caminham" [...] Uma forma, uma obra, funcionam como o mundo. Elas estão no espaço e no tempo; mas, como estão no mundo, o espaço e o tempo estão nelas.

Vemos aqui uma inspiração taoista sobre o processo de formação das formas (*Gestaltung*). A forma se faz se formando, se brota caminhando, ritmada por cada pulsação, para se brotar "forma". Para "ser forma" é preciso ser caminho, caminhante e caminhar. Caminho que se faz pela musicalidade rítmica da vida produtora das formas.

Daí a musicalidade do encontro clínico. O espaço clínico, sendo um dos campos privilegiados na produção de ritmos singulares, promove novos movimentos às formas cristalizadas das histórias de vida.

DA TERAPIA COMO ATO MUSICAL

Kimura (2000) traz contribuições importantes e "lúdicas" para que possamos "sentir" o que defino como o processo de senciência implícita e imediata, enquanto *awareness* do campo e suas relações com a experiência do ato musical vivida pelo músico. Kimura afirma que o ato musical consiste, ao menos, em três experiências que se integram umas às outras. A primeira é o ato musical criado no presente, de um instante ao outro, quando se toca um instrumento. O autor destaca os silêncios-pausas: a música é o processo efêmero e transiente de sonoridades e pausas que se combinam para a construção da paisagem sonoro-musical vivida.

A outra experiência acontece quando se escuta a música que se executa. No ato da execução musical, o cantor precisa estar orientado na tonalidade da música, produzindo-se o processo de "senciência implícita e imediata" que o excita na direção das sonoridades tonais, harmônicas, melódicas e rítmicas da música. A um só tempo, o cantor percepciona o campo sonoro-musical dos outros músicos e orienta a sua voz para se entrelaçar a esse campo, como linhas sonoras que o bordam complexamente; do contrário, ele desafinaria todo o espetáculo. Na experiência musical, é necessário "ter" a potência de "empatizar", "sincronizar" a sua voz com os outros instrumentos. É preciso entrar em "acordes sensíveis" com o campo biomusical em devir. A partir das ressonâncias-simpatias entre o que ele canta e o que ele escuta dos outros instrumentos, todos entram em sincronia, imbricando-se nas paisagens sonoras e em seus processos de descontinuidade vividos na experiência da continuidade da música. Temos a paisagem da *Gestaltkreis*, da silhueta-envelope de formas sonoro-rítmico-musicais em devir. A senciência implícita e imediata, a *awareness* do campo, aparece como uma obra estética desse campo de afetações. Ao mesmo tempo se escuta e escuta o grupo. É dessa experiência de formação da *awareness* que Mônica Alvim (2014b) fala: ela é a expressão do modo médio, nem ativo, nem passivo.

O grupo musical nem precisa se olhar nos olhos. Eles podem olhar para o público, fazer contato com o sorriso das pessoas que dançam sem parar. Produzem coletivamente essa "ciência" de sentir e compreender processos: *scientia animae sensibilis*. Estão cientes dos movimentos dos caminhos pelos quais a experiência se desdobra no devir. A um só tempo, são capazes de sentir as mudanças do campo sonoro-musical, feito de melodias, cadências rítmicas, acordes sincrônicos e assíncronos dos instrumentos-vozes.

São capazes de percepcionar o caminho já atravessado do campo musical (as partes da música já executadas) para se desdobrar em novos caminhos. Em meio a tudo isso, temos outro componente que integra a formação da *awareness* do campo: o afeto de antecipação dos sons e silêncios que se desdobram durante a execução e, com efeito, os sons e silêncios que estão por vir. Muitas frases musicais já estão presentes na memória coletiva grupal. No entanto, mesmo que eles conheçam a música e a tenham tocado inúmeras vezes, a experiência efêmera dos improvisos acontece sem aviso prévio. Sons, harmonias e ritmos estão em ligação, de uns para os outros. Será preciso estar "sencientemente *aware*" do processo que se desdobra e se desenrola mutuamente e está em "crise" permanente. Curiosamente, a palavra "crise" advém do grego *krísis*, significando "faculdade de distinguir, decisão", e do latim *crisis*, compreendida como momento de decisão, de mudança súbita, de transformação. Por esse prisma, quer seja num ambiente musical, quer seja num ambiente clínico, temos o processo das crises permanentes tecidas pelas contínuas descontinuidades que se operam nesses campos de afetação.

Assim como uma música é feita de "crises", causadas pela entrada de novas melodias, de novos instrumentos que chegam de uma hora para outra, o processo clínico é constituído de "crises". A continuidade de um tema é entrecortada por "pausas-silêncios", por assuntos inesperados, por imagens que irrompem daquilo que é o *id* da situação, ou seja, o fundo comum (Alvim, 2016) que promove novos ritmos à experiência vivida por terapeuta-paciente-grupo.

A arte do terapeuta consiste em estar senciente daquilo que o atravessa implicitamente em seu corpo-subjetividade e daquilo que é imediato e se faz aparência, entrecortando e produzindo descontinuidades nas continuidades de um tema. Assim como uma música renasce em seus *ritornellos*, em seus retornos de temas melódicos, um tema numa sessão de terapia pode ganhar nova coerência de sentidos (*Kohärenz*). Por esse prisma, as crises estão presentes permanentemente no encontro clínico, constituindo descontinuidades em meio às continuidades, tecendo a dinâmica biomusical do encontro. Campo clínico feito da circulação rítmica de afetos que dão nascimento às formas dos contatos entre terapeuta, paciente e grupo.

CAMPOS DE AFETAÇÃO E OS ENVELOPES SEMIOLÓGICOS BIOMUSICAIS

Há quase trinta anos articulando os campos da Gestalt-terapia e da musicoterapia, venho pesquisando a construção de envelopes sonoro-afetivos-rítmico-biomusicais. O conceito de envelope sonoro-musical advém da musicoterapeuta francesa Edith Lécourt (*apud* Anzieu, 2013), que trabalhou com o psicanalista Didier Anzieu, criador do conceito de "envelopes psíquicos". Desenvolvo a seguir algumas funções dos envelopes-peles biomusicais que observo no trabalho do "ateliê Gestáltico-musicoterápico-filosófico" ao longo desses anos.

Id-entidades sonoro-biomusicais e os campos de afetação

É lindo perceber, no trabalho com pais e bebês, o que denomino "id-entidades sonoro-biomusicais", perspectiva que forjei inspirado no conceito de "identidade sonoro-musical", advindo dos musicoterapeutas Altshuler (1954) e Benenzon (1987) (Peixoto, 2019).

A música tem a potência de acessar "lugares" e "temporalidades" que a capacidade linguageira das palavras não acessa. A música produz movimentos naquilo que constitui o "fundo matricial" de todas as nossas emoções, sensações, sentimentos. Estas se constituem como "id-entidades" que "cantam" do fundo de nosso corpo quando somos tocados pelos envelopes musicais. Elas são entidades sensíveis que pulsam de tempos e em lugares que, muitas vezes, nem imaginamos.

A música produz campos de afetação que nos envolvem, levando-nos a lugares e temporalidades que já vivemos ou não. A perspectiva de "campo de afetação" (Peixoto, 2012, 2016, 2018, 2021) advém da filosofia de Spinoza. "Afeto", para esse filósofo, diz respeito aos graus de potência de que somos capazes a cada encontro. Assim, a cada instante, nosso grau de potência varia, dependendo de como afetamos e somos afetados por uma experiência. O grau de potência é compreendido como a capacidade de afetar e de ser afetado, a qual modula e atualiza as potências de contato: capacidades imaginativas criativas, ideativas, sensíveis-corporais, expressivas, dentre outras. A noção de grau de potência se correlaciona com o conceito de modo médio (Perls, Hefferline e Goodman, 1997) em Gestalt-terapia. Ao mesmo tempo, tocamos e somos tocados por uma experiência.

No trabalho com pais e bebês, sou testemunha dos campos de afetação que a música engendra quando uma mãe grávida canta com o pai ao som do piano ou do violão. O bebê, ainda vivendo a "ambientalidade-útero" – inspirando-nos aqui no conceito de ambientalidade de Jorge Ponciano Ribeiro (2019) –, libera seus movimentos com os pés e os cotovelos, que produzem formas incríveis na barriga da mãe. Segundo Ribeiro, os seres humanos são seres ambientais:

> Seguindo a perspectiva da espacialidade e da temporalidade, isto é, o aqui-agora humano, nossa definição de humanos é: somos ambientais-animais-racionais. Esta é a essência humana; consequentemente, ambientalidade-animalidade-racionalidade são os existenciais que compõem a estrutura constituinte de nossa personalidade. (p. 901)

Como seres ambientais-animais-racionais que vivem experiências sensoriais com as expressões do bebê, os pais se emocionam com os movimentos deste. Seus olhos se arregalam e se enchem de lágrimas. A paisagem musical movimenta os afetos que emergem de cada um, do corpo-intersubjetividade feito de histórias, memórias, desejos, situações inacabadas e tantas outras formas afetivas para compor o fundo comum, o *id* da situação (Alvim, 2016).

Todos juntos podemos perceber as "silhuetas-envelopes" que as formas afetivas ganham nesse processo. Inclusive o bebê, em sua forma de percepcionar a vida de sua ambientalidade--útero e as relações com o mundo. A *awareness* do campo vai se fazendo, pouco a pouco, pela experiência sensorial de acompanhar os detalhes da vivência, sem pressa! Novos sentidos se constroem para o casal e com o caminho de nascimento do filho. Eles se tornam mais sencientes das pequenezas da vida, das miudezas que constituem a partitura das composições familiares.

Função de proteção e continente do envelope afetivo-biomusical

No atendimento de pessoas que recebem o diagnóstico psiquiátrico de transtorno de ansiedade, transtorno de pânico, bipolaridade e tantos outros fenômenos sensíveis humanos, sempre escuto sobre a função do "envelope-pele-abraço afetivo" que a música e o ambiente proporcionam.

Em muitos casos, a expressão é a de que a dor, o medo de sentir as experiências, a angústia em não saber para onde a vida os convida, o não saber mergulhar nas incertezas traz o padecimento dos afetos, a experiência de despertencimento de si e do mundo. No entanto, com o trabalho das metáforas corporais envolvidas pela música, o ambiente clínico se torna uma "usina de intensidades potenciais" (Peixoto, 2000). A potência dionisíaca da música movimenta os sintomas (*Gestalten* cristais). Estes ganham novas formas, antes eclipsadas por tantos introjetos e por tantas outras modalidades de compor seus contatos. Essas pessoas desenvolvem a capacidade de se libertar dos sedimentos de ideias, percepções e sentidos construídos na relação com o campo social, inspirando-nos em Merleau-Ponty (1948). Aqueles que se liberam dos sedimentos, daquilo que se fixa em sua vida, encontram nos caminhos da música, no som de sua voz que canta, a passagem para viver o nascimento de outras formas de se sentir e se perceber. O corpo-som de minha voz está sempre presente para servir de fio para o retorno ao continente. A música-corpo-voz do terapeuta e do paciente se encarnam na forma de envelopes-peles, funcionando como meio de paraexcitação e proteção diante do medo das incertezas advindas da experiência.

Função de senciência implícita e imediata:
awareness **do campo**

As experiências de Gestalt-musicoterapia abrem caminhos para a construção da "senciência implícita e imediata do campo". A *awareness* do campo biomusical vai se formando numa unidade coerente pelo processo de "crises" que esse campo engendra. Paciente e terapeuta se percebem, como dois músicos que se acompanham. Essa é uma experiência que vai se produzindo paulatinamente. Eles desenvolvem a sensibilidade de um estado de presença de um para o outro em que podem sentir o que se passa em cada um deles e o que se passa entre eles. Reinventam suas formas de habitar o presente, orientando-se pelo estado de presença *aware* nascido das formas como se afetam. Uma *awareness* coletiva é bordada pelos movimentos dinâmicos e rítmicos dos campos de afetação construídos entre terapeuta, paciente e grupo (Peixoto, 2021).

É maravilhoso sentir, mesmo através de uma tela de computador, as pessoas expressarem suas histórias com palavras que ganham forma poética. A música produz o envelope biomusical como caminho no qual suas palavras podem ser vividas. Quando as palavras retornam, deixam de ser meramente palavras. Elas "entram em crise", transformando-se em "melodias expressivas que cantam histórias". Desse modo, as palavras nascem como poesia ao som do piano, que tão somente as envelopa, dando-lhes contornos e bordas através de toques sutis e delicados.

As palavras tornam-se poesia, inspirando-nos em Perls, Hefferline e Goodman (1977). Elas nascem desamarradas de sentidos cristalizados. Desdobram-se em asas lançadas em voos... pelos ventos do devir... pelo sopro do sentir. As palavras "liberam-se anarquicamente" de toda forma de amarras, de servidão ao já conhecido, de clausura à história vivida, desdobrando-se no ato mesmo de tornar-se poesia. Palavra-asas-liberdade.

Igarapés biomusicais
Todas as pessoas que atendemos estão em busca de novos caminhos. O ambiente Gestalt-musicoterápico convida aqueles que "constroem suas vidas como obras de arte frustradas" (Otto Rank *apud* Perls, Hefferline e Goodman, 1977) a desenvolver e ampliar sua capacidade de produzir contatos mais criadores e vitalizados.

O ambiente biomusical tem o poder de liberar a potência da imaginação criadora, desviando-se do curso do rio já conhecido. Assim como o rio Amazonas, com seus inúmeros igarapés que só podem ser navegados por uma canoa, a música abre passagem para a emergência de igarapés biomusicais. Igarapé, palavra advinda do tupi que significa "caminho de canoa": *ygara* (canoa) e *apé* (caminho). Nos igarapés, temos uma riqueza de descobertas para além do rio principal. Os igarapés biomusicais produzem brechas, passagens, devires naquilo que está instituído em nossas formas de sentir, pensar e estar em nossas relações. Eles despertam a (re)descoberta da musicalidade da vida, sempre mais uma vez!

A entrada nos igarapés biomusicais nos leva aos caminhos que excitam a imaginação criadora. Imaginação "anarquista", produtora do afeto de poder descobrir suas potências com a vida de outras maneiras. A potência libertária da música nos encaminha ao encontro com o efêmero: com a descoberta de que a permanência e a impermanência coexistem, assim como nos ensina a filosofia taoista.

As experiências que são vividas com a música tornam-se igarapés existenciais que nos fazem conhecer novos mundos de percepções e potências sensoriais. Descobrimos a profundidade das pequeninas sensações que engendram novos mundos a ser vividos. Passamos a ser semiologistas de sensações. Descobrimo-nos de outras formas quando, nas descobertas do ínfimo fenomenal das sensações, somos tocados pela travessia dos igarapés biomusicais. Somos envelopados pela temporalidade de *Aion*.

Aion é a potência "crianceira", potência do "criançar". Heráclito, no fragmento 52, nos ensina que "*Aion* é uma criança que brinca, seu reino é o de uma criança" (Peixoto, 2021). O filósofo nos lembra que *Aion* era o tempo. Tempo como o senhor das dobraduras e desdobramentos das formas em devir. *Aion* é a temporalidade inventiva das crianças que se ajustam criadoramente a cada situação. *Aion* é o inverso de *"noia"*. Quando os adultos saem das *"noias"* e se conectam com a potência da criança, encontram sua grande sabedoria, como nos ensinou Nietzsche (Dias, 2011).

No entanto, os igarapés biomusicais fazem arregalar os olhos: a capacidade de espanto diante do desconhecido é a sua grande força. Em vez de buscar a "criança interior", os igarapés biomusicais nos convidam ao encontro com as potências de ajustamento criador perante o estrangeiro, o desconhecido, a angústia das correntezas das incertezas. Os ajustamentos criadores são a expressão de nossas capacidades "crianceiras" engajadas na invenção de novas possibilidades. Na viagem que é feita de canoa pelos igarapés biomusicais, as percepções-sensibilidades entram em novas cadências rítmicas, pois é preciso estar senciente de cada fenômeno que aparece na travessia.

Terapeuta-paciente-grupo estão atentos para os detalhes de cada sinal afetivo que aparece na experiência. Eles são atravessados mutuamente pelas sensações e percepções que, a um só tempo, fazem parte do implícito e do imediato do campo de afetação nascente da travessia. Ao mesmo tempo, se *fazem borda do igarapé*, de um para o outro, para percepcionar o que aparece como sensações, afetos, imagens que vêm de um e de outro e constituem esse campo pulsante, campo afetivo-afetante clínico.

Deixar-se afetar pelos igarapés biomusicais é encontrar-se com certa "embriaguez", advinda do espanto ao deparar com aquilo que estava eclipsado pela anestesia de uma vida cronificada em sintomas. Os igarapés biomusicais nos devolvem a potência crianceira dionisíaca, entrando, por sua vez, em conciliação com a potência apolínea das formas. Da embriaguez dionisíaca musical e do espanto com aquilo que descobrimos como novas possibilidades de viver ganhamos a sobriedade apolínea como elemento que dá forma-continente ao sentimento do caos, do desconhecido. Reunião de potências estéticas que se imbricam para a formação das *Gestaltkreis*, do entrelaçamento dos mundos do terapeuta-paciente que se desdobram sempre em novos "semblantes contatuais" que formam a unidade de coerência desse campo.

O Gestalt-terapeuta Jean-Marie Delacroix, em diálogos comigo ao longo dos anos, percebe uma grande ressonância entre as perspectivas que desenvolvo a partir das experiências gestáltico--musicoterápicas e as experiências xamânicas com música que ele mesmo experienciou com os xamãs da Amazônia peruana. O processo de "desterritorializar-se" das redundâncias existenciais, da repetição das formas existenciais, abrindo-se às potências da inocência crianceira da descoberta, do espanto de se nascer outro em sensações e percepções inéditas, produz novas formas de habitar a si mesmo e ao mundo. Sentimo-nos envolvidos e abraçados pela natureza da vida com suas tempestades e intempéries e com seus humores mais ternos e intensamente sutis. Seguimos os princípios das potências estéticas apolíneas-dionisíacas que, com suas alianças estéticas, constroem cadências rítmicas engendradoras de novas formas e paisagens existenciais.

Podemos nos sentir de inúmeras outras formas quando nos permitimos viver a aliança das capacidades sensíveis apolíneas e dionisíacas. Experiências nas quais a embriaguez dionisíaca, advinda da relação com a música, ganha o abraço e o continente das formas belas e graciosas da potência apolínea.

CAMINHOS E INTERSTÍCIOS BIOMUSICAIS INCONCLUSIVOS

Todo processo clínico se faz em relação; a música também. O processo clínico em Gestalt-musicoterapia se tece como o encontro de duas ou mais pessoas que constroem composições sobre os sentidos da vida. Estes podem ser feitos pela senciência implícita e imediata dos fenômenos que atravessam a relação terapeuta-paciente-grupo. Inspirados na "alma epistêmica" da música jazzística, eles podem se lançar às incertas correntezas das experiências que compõem juntos. Eles se fazem continente de um para o outro. Se fazem borda, bordado de afetos, laço de contatos.

Por sua vez, a perspectiva estética do encontro clínico que se utiliza da música como condição de produção de sentidos corresponde ao que Michael Vincent Miller (2002) nos fala sobre uma estética do engajamento como processo. Assim como os músicos estão engajados no processo de feitura da paisagem musical, terapeuta-paciente-grupo podem se implicar nessa estética do engajamento de que nos fala Miller.

Terapeuta-paciente-grupo estão esteticamente implicados na construção de sentidos que colocam em "crise" as antigas formas instituídas. Campo estético feito pelos interstícios, pelas bordas, pelas silhuetas-peles que envolvem e compõem a dinâmica expressiva da *Gestaltkreis*-biomusical do encontro clínico. Encontro clínico afetivo-afetante, de onde as palavras tornam-se melodias em contrapontos pelos caminhos dos contatos. Caminhos feitos pela potência dinâmica e rítmica do campo terapeuta-paciente-grupo. Processo que nos convida a sentir a vida e os encontros clínicos como uma obra musical, sempre em estado nascente de composições.

Este capítulo é um convite ao terapeuta que deseja desenvolver habilidades jazzistas, abrindo-se às incertezas, aos movimentos desconhecidos do que se passa na experiência clínica. Partilhar a curiosidade, o espanto com aquilo que emerge de um "igarapé clínico": descobrir temporalidades e lugares jamais sentidos e vividos. Terapeuta, paciente e grupo que se permitem liberar as potências crianceiras para pulsar novas formas de construir seus contatos. Campo clínico que sai de suas redundâncias para se descobrir e brotar novas virtualidades e paisagens de vida. Composição do estado de presença no qual terapeuta-paciente-grupo se engajam esteticamente na escrita da partitura de sentidos. Tornam-se estetas das formas, compositores da vida, artistas de sua existência.

REFERÊNCIAS

ALVIM, M. A poética da experiência – Gestalt-terapia, fenomenologia e arte. Rio de Janeiro: Garamond, 2014a.

_____. "Awareness: experiência e saber da experiência". In: FRAZÃO, L. M.; FUKUMITSU, K. O. (orgs.). Gestalt-terapia – Conceitos fundamentais, v. 2. São Paulo: Summus, 2014b.

_____. "Le çà de la situation, fond commun de l'expérience". In: ROBINE, J. M. (org.). Self – Une polyphonie de Gestalt thérapeutes contemporains. Bordeaux: L'exprimerie, 2016.

ALTSHULER, I. "The past, present and future of Musical Therapy". In: PODOLSKY, E. (org.). Music therapy. Nova York: Philosophical Library, 1954.

ANZIEU, D. Les enveloppes psychiques. Paris: Dunod, 2013.

BENENZON, R. O autismo, a família, a instituição e a musicoterapia. Rio de Janeiro: Enelivros, 1987.

BRUSCIA, K. Definindo musicoterapia. Espanha: Barcelona Publishers, 2016.

DIAS, R. Nietzsche, vida como obra de arte. Rio de Janeiro: Civilização Brasileira, 2011.

JAEGER, W. Paideia – A formação do homem grego. São Paulo: Martins Fontes, 2003.

KIMURA, B. L'Entre – Une approche phénoménologique de la schizophrénie. Paris: Millon, 2000.

MALDINEY, H. "L'Esthétique des rythmes". In: Les Rythmes. Conferência promovida pela Universidade de Lyon, 1967. Disponível em: <https://pt.calameo.com/read/000127172977ef1d0448c>. Acesso em: 27 ago. 2021.

MERLEAU-PONTY, M. Causeries. Paris: Éditions du Seuil, 1948.

_____. O visível e o invisível. São Paulo: Perspectiva, 2003.

MILLER, M. V. "Tirer un trait". In: ROBINE, Jean-Marie. *La Psychothérapie comme esthétique*. Bordeaux: L'Exprimerie, 2006.
_____. *La poétique de la Gestalt-thérapie*. Bordeaux: L'Exprimerie, 2002.
MONTEIRO, N. "Quadro do desenvolvimento audiomusicoverbal infantil de zero a cinco anos para a prática de educação musical e musicoterapia". *Revista Brasileira de Musicoterapia*, Rio de Janeiro, v. 13, 2011, p. 98-116.
NEGREIROS, M. *Musicoterapia e aleitamento materno*. Dissertação (mestrado em Saúde da Criança e do Adolescente), Universidade Federal do Rio de Janeiro, Rio de Janeiro, 2008.
NIETZSCHE, F. *A origem da tragédia*. Rio de Janeiro: Moraes, 1980.
PEIXOTO, P. "Usina de intensidades". *Revista de Gestalt*, Instituto Sedes Sapientiae, São Paulo, v. 9, 2000, p. 53-58.
_____. *Heterogênese, saúde mental e transcomposições*. Rio de Janeiro: Multifoco, 2012.
_____.*Gestalt-terapia & contatologia — Filosofia, arte e clínica dos processos de formação das superfícies contatuai*s. Macaé: Paulo de Tarso Editor, 2018.
_____. "Biomusicalidade, experiência e awareness coletiva: Gestalt-terapia e musicoterapia no cuidado de pais e bebês". Dossiê Gestalt-Terapia, *Revista Estudos e Pesquisas em Psicologia*, Rio de Janeiro, v. 19, n. 4, 2019, p. 1084-1103.
_____. *Antimanual de psicopatologia estética: psicopatologia do sentir, psicopatologia etológica e biomusical – Indicadores dos graus de potências dos afetos e contatos, inspirados na Gestalt-terapia, musicoterapia e filosofias das experiências*. Pesquisa de pós-doutorado (Programa de Pós-graduação em Psicologia), Universidade Federal do Rio de Janeiro, Rio de Janeiro, 2021.
PERLS, F.; HEFFERLINE, R.; GOODMAN, P. *Gestalt-terapia*. São Paulo: Summus, 1997.
PERLS, L. *Vivre à la frontière*. Bordeaux: L'Exprimerie, 2001.
RIBEIRO, J. P. "Ambientalidade, coexistência e sustentabilidade: uma Gestalt em movimento". Dossiê Gestalt-Terapia, *Revista Estudos e Pesquisas em Psicologia*, Rio de Janeiro, v. 19, n. 4, 2019, p. 896-914.
ROBINE, J. M. "La psychothérapie comme esthétique". In: ROBINE, J. M. (org.). *La psychothérapie comme esthétique*. Bordeaux: L'Exprimerie, 2006.
WINTERNITZ, E. *Leonardo da Vinci as a musician*. Yale: Yale University Press, 1982.
WISNIK, J. M. *O som e o sentido – Uma outra história das músicas*. São Paulo: Companhia das Letras, 1989.

8
O trabalho com máscaras: desvelando polaridades

MARIA ALICE QUEIROZ DE BRITO (LIKA QUEIROZ)

> *Quando quis tirar a máscara,*
> *Estava pegada à cara.*
> *Quando a tirei e me vi ao espelho*
> *já tinha envelhecido.*
> ("Tabacaria", Álvaro de Campos, 1928)

Sempre gostei de máscaras; quando criança, esperava ansiosa o carnaval para fantasiar-me, brincar com as máscaras de papel que retratavam animais, palhaços, bruxas. À medida que eu crescia, ia me dando conta de que elas podiam representar desejos – o sonho de ser, por uns momentos, alguém ou algo que não se era. As máscaras eram passaportes para a permissão.

Já Gestalt-terapeuta, ainda lembro da sessão, nos idos anos 1990, em que ousei começar a trabalhar com esse recurso. A cliente trazia um sonho no qual se via em uma floresta e apareciam rostos. E, como para ela era familiar se expressar por meio de recursos artísticos, perguntei se gostaria de desenhar esses rostos. Ela desenhou cinco círculos, um em cada folha de papel A3, e com lápis de cera fez cinco rostos diferentes: um palhaço, um monstro, uma menina, um vazio, só com os olhos delineados, e mais um que agora não recordo. Perguntei-lhe se podia propor algo, como faço até hoje com meus clientes, e convidei-a a ir até o banheiro com os rostos, escolher um e experimentá-lo como máscara, a fim de ver que sensações, sentimentos e impressões brotariam daquilo. E assim ela fez com cada rosto, recortando o lugar em que havia desenhado os olhos para poder enxergar. Tanta coisa emergiu que passamos várias sessões trabalhando com aqueles rostos. Desde então, venho aprofundando o uso do recurso das máscaras como proposta de experimento e treinando outros Gestalt-terapeutas nesse manejo.

A palavra máscara vem do árabe *másjara*, que quer dizer bufão. Segundo o *Dicionário Houaiss da língua portuguesa* (Houaiss, Villar e Franco, 2001, p. 1862), trata-se de "uma peça com que se cobre parcial ou totalmente o rosto para ocultar a própria identidade; expressão que o ator imprime ao rosto em suas caracterizações". O adereço é também definido como "traje único com o qual alguns se disfarçam" (Buchbinder e Matoso, 1994, p. 19).

O significado de máscara está ligado à *persona*, que no teatro grego, sobretudo nas tragédias, indicava o adorno que cobria o rosto do ator. O termo latim *persona* deriva do verbo *personare*, "soar através de algo", como a fala do ator que se expressa através da máscara (Mora, 1975).

De acordo com Buchbinder (2005), o uso de máscaras acompanha o ser humano desde os primórdios, variando o seu significado de acordo com cada época e cultura. Na Antiguidade, elas eram utilizadas de modo ritualístico em civilizações como a egípcia e a persa. No Ocidente, as máscaras foram introduzidas pelos gregos, que as usavam nas festas dionisíacas, bem como no teatro. Com a queda do Império Romano e o advento do cristianismo, as máscaras, consideradas elementos pagãos, foram proibidas. No Japão, desde o século XIV o estilo *Noh* é conhecido como teatro das máscaras ou das essências, desempenhando esses adereços papel fundamental na distinção dos personagens. Com a imigração europeia para as Américas, elas chegaram ao nosso continente, sendo usadas como brinquedos e adornos. Entre os povos nativos brasileiros e africanos, as máscaras são até hoje utilizadas de forma ritualística, exercendo papel de conexão espiritual (Santana, s/d).

Assim, podemos classificar as máscaras como rituais, teatrais ou dramáticas e sociais, estas últimas consideradas por Buchbinder e Matoso (1994) algo que adquire socialmente determinado significado. Na verdade, os autores estão falando de expressões gestuais/atitudes que se tornam estereótipos de papéis sociais, mascarando o que a pessoa vive naquele momento. Diz Buchbinder (2005, p. 61, tradução minha): "A máscara é o órgão de superfície de todas as relações sociais. [...]. Estabelece pontes entre a imagem, os afetos e o discurso. Entre o individual e o social".

Em suma, as máscaras podem ser usadas para: manifestar algo; enfeitar; explicitar uma hierarquia tribal ou religiosa; neutralizar a individualidade ou ocultar a identidade; manifestar o pertencimento a um grupo; permitir que o indivíduo seja outro, "troque de pele". Isso me lembra um texto de Clarice Lispector (1998): "Naquele carnaval, pois, pela primeira vez na vida eu teria o que sempre quisera: ia ser outra que não eu mesma ". Assim, pode-se dizer que a máscara traz em si um paradoxo: revela e oculta aspectos de quem a usa. Portanto, o trabalho com máscaras é de profunda riqueza criativa. Como afirma Zinker (2007, p. 17-18),

> a criatividade e a psicoterapia se entrelaçam num nível fundamental de transformação, metamorfose, mudança. [...] A terapia criativa é um encontro, um processo de crescimento, um evento para a solução de problemas, uma forma especial de aprendizagem e uma exploração de toda a diversidade de nossas aspirações de metamorfose e ascendência.

Para nós, Gestalt-terapeutas, trata-se do aprendizado experiencial promovido pelos experimentos, um convite para que o cliente entre em contato com sua experiência, saia do "falar sobre" para o vivido, para o experiencial. O objetivo do experimento é promover *awareness*.

> Praticamente toda técnica na Gestalt-terapia pode ser vista como uma incorporação da seguinte regra geral: "esteja *aware*". Essa regra, por sua vez, expressa a crença do terapeuta em que somente com a *awareness* pode haver vida verdadeira, e em que a luz da *awareness* é tudo de que precisamos para sair da nossa confusão, para perceber a tolice de quem está criando nossos conflitos, para dissipar as fantasias que estão causando nossa ansiedade. (Naranjo, 1980, p. 4, tradução minha)

Assim, é a partir desse dar-se conta que pode ocorrer uma mudança no comportamento.

O uso de máscaras faz parte das práticas expressivas; portanto, as propostas de experimentos com elas são sempre eminentemente vivenciais. A máscara, de certa forma, é ou compõe um rosto, de modo que a pessoa, ao colocá-la, se transforma na sua totalidade; todo o seu ser, naquele momento, é aquele personagem, aquela polaridade.

Diante disso, é possível afirmar que o trabalho com máscaras mexe diretamente com a função *self* como personalidade.[1]

> Eu já perdi. Esse sou eu?
> Sim e não.
> Sou com minha máscara e também com a máscara que me desmascara de minha máscara.
> Eu sou aquele na minha máscara diante dos outros e no desmascaramento que eles descobrem em mim [...]
> (Buchbinder e Matoso, 1994, p. 62, tradução minha)

Ao criar ou escolher uma máscara, a pessoa lhe confere características, aspectos seus que permaneciam no fundo, polaridades egodistônicas, polaridades não atualizadas ou até mesmo polaridades egossintônicas.[2]

Buchbinder (2005) confirma a potência do uso das máscaras como recurso para a psicoterapia e para outras propostas de trabalho ligadas ao autoconhecimento e ao crescimento pessoal. O autor cita quatro funções terapêuticas do trabalho com máscaras, as quais aproximo da nossa abordagem:

---

[1] Representação de si mesmo, autoimagem. Função que integra experiências anteriores, assimila do vivido e constrói o senso de identidade. O que sou, como me defino. É o sistema de atitudes adotadas nas relações interpessoais. (Perls, Hefferline e Goodman, 1997).
[2] Polaridades egossintônicas são aquelas aceitáveis para o indivíduo, das quais ele pode ter consciência. Já polaridades egodistônicas não são aceitáveis para o *self*. (Zinker, 2007).

- *Função de desmascaramento e reestruturação.* Facilita o desmascarar de polaridades egodistônicas, a *awareness* e o mover-se da fixação em padrões repetitivos de modos de ser e estar no mundo – "autoimagem patológica" (Zinker, 2007, p. 221). Facilita também a reestruturação da autoimagem, integrando outros aspectos de si, criando novas histórias.
- *Função de farol.* Permite apontar os pontos de conflito em relação ao corpo e outros aspectos de si, na relação pessoal e familiar, assim como conflitos e situações vividas em um momento particular da vida.
- *Função de metabolização da fantasia.* Permite a desidentificação de determinada fantasia e sua transformação.
- *Função de metabolização da imagem.* Torna figura a imagem predominante do cliente e promove sua conexão com outras imagens.

Com o trabalho, o cliente vai se dando conta desses aspectos; aos poucos, permite-se vivenciá-los, o que resulta não apenas na *awareness* como na integração das nossas "multilateralidades" (Zinker, 2007, p. 219).

Considerando que saúde é ter habilidades para lidar eficazmente com qualquer situação que se apresente aqui-agora, alcançando uma resolução satisfatória de acordo com a dialética de formação e destruição de *Gestalten* (Latner, 1974), e que as polaridades egodistônicas são um grande fator na interrupção do contato, gerando situações inacabadas, essa integração das polaridades é fundamental para a promoção da saúde.

Quando se trabalha com grupos, as máscaras podem ajudar a construir seu campo geográfico, a desvelar e trabalhar temas ou conflitos, a estimular a criatividade e a comunicação, a trazer ludicidade e leveza, a fechar situações inacabadas e a facilitar a elaboração do término do grupo, entre outras funções.

É importante considerar que, ao trabalhar com máscaras, lidamos com mecanismos como identificação, projeção e introjeção. Quando o cliente escolhe ou constrói uma máscara, projeta nela características de si mesmo e, ao colocá-la, fica identificado com esse outro; é "como o outro ao mesmo tempo em que é capaz de conservar-se em si mesmo" (Paim e Jarreau, 1996, p. 209-10). O que é projetado na máscara, assim como muitas das reações que temos ao nos olharmos no espelho ou ficarmos exposto ao olhar do outro, está ligado a aspectos que foram introjetados na relação de campo organismo-ambiente.

Os trabalhos com máscaras mexem diretamente com as fronteiras do eu[3] dos clientes, sobretudo quando se está em grupo, embora, no contexto individual, o terapeuta não deixe de ser o outro com o qual o cliente se confronta. A fronteira de exposição do eu é, portanto, sempre mobilizada, já que envolve a facilidade ou relutância de ser observado. A exposição ao olhar externo é por vezes ameaçadora, pois não há garantia de como o outro vai reagir; implica o risco de crítica, de não aceitação – mesmo quando essa não aceitação é imaginária, fruto de uma projeção.

De uma forma ou de outra, os experimentos com máscaras confrontam o cliente com a fronteira de familiaridade, pois, como vimos, envolvem o dar-se conta de polaridades

---

3. "A fronteira do eu de uma pessoa é a fronteira daquilo em que, para ela, o contato é permissível" (Polster e Polster, 2001, p. 120).

não atualizadas ou negadas, o ousar ir além da fronteira que se demarcou como possibilidade de contato. A própria proposta de trabalhar com máscaras é um convite para que o cliente se aventure a lidar com o não conhecido.

Outra fronteira mobilizada com esse recurso é a expressiva; a construção dos limites expressivos se inicia cedo no desenvolvimento do indivíduo, e estes são ativados e transformados quando vivenciamos personagens incorporados com as máscaras. A fronteira de valor mexe diretamente com a sensação de adequação/inadequação, pois é constituída pelos valores introjetados de certo, errado, pode, não pode, feio, bonito, importante, desimportante etc.

Mergulhar no personagem/polaridade convocado pela máscara é um desafio: "[...] para penetrar o espírito das criaturas é necessário que se deixe de existir, que se abandone tudo o que se é para se poder estar com elas" (Barros (1994, p. 20). Polster e Polster (2001, p. 133) complementam: "É assustador empurrar as fronteiras que estabelecemos para nós mesmos. A ameaça é perder a nossa identidade, [...]. No ato de derrubar as velhas fronteiras [...] é possível mover-se para um senso expandido de *self*".

De forma segura, o trabalho com máscaras proporciona ao cliente não apenas a *awareness* das suas fronteiras de contato como também essa expansão, possibilitando que ele viva com mais flexibilidade e, consequentemente, com menos interrupções de contato.

Ao trabalhar com máscaras, é possível observar os vários estágios do processo expressivo: bloqueado, inibido, exibicionista e espontâneo (Korzybski *apud* Polster e Polster, 2001). O cliente por vezes fica paralisado, não sabendo o que expressar, ou sente-se inibido diante da possibilidade de expressar o que deseja; ou se expressa espontaneamente em um modo de funcionar de *self* como *id*; ou, ainda, se expressa de uma forma que não está integrada, assimilada, a expressão saindo assim com certo exagero em relação ao que se está sentindo.

Experimentos com máscaras podem ser usados tanto no contexto individual como grupal, no processo psicoterápico ou em *workshops*. Pode-se trabalhar com máscaras prontas de materiais diversos, como plástico, borracha, papel; máscaras que cobrem todo o rosto ou metade dele, só os olhos, que cobrem toda a cabeça ou são apenas detalhes a compor um personagem, como narizes, orelhas de gato, coroas, auréolas de anjo, chapéus diversos, chifres, óculos variados, véus de noiva etc. Pode-se, também, convidar o cliente para construir sua máscara; nesse caso, o Gestalt-terapeuta precisa ter à mão materiais variados – tesouras, estiletes, sacos de papel, folhas de cartolina duplex de cores variadas, de papel crepom e laminado, cola colorida, branca e cola quente, tinta, pincéis, lápis de cera, *glitter*, contas coloridas, flores e folhas pequenas de EVA, retalhos, ataduras de gesso etc. Na minha prática, costumo usar palitos de churrasco para que o cliente consiga segurar a máscara em frente ao rosto. Pode-se usar também papelão e folhas de isopor; acho estas últimas mais difíceis de cortar e de moldar na forma desejada. Outra maneira de criar uma máscara é utilizando maquiagem ou tinta própria para a pele. Não trabalho com máscaras de papel machê, porque requerem tempo e um manejo mais elaborado.

O trabalho com as máscaras de gesso é muito profundo e exige alguns critérios, os quais discutirei adiante, quando estiver refletindo sobre o aspecto da gradação. Para Paim e

Jarreau (1996, p. 210), fazer a máscara demanda capacidade de organização perceptivo-motora, certa integridade do esquema corporal, saber lidar com a lógica do espaço e incluir a representação simbólica da história pessoal e da cultura na qual o cliente está inserido.

Outro elemento importante é o espelho, a fim de que o cliente possa se ver e experienciar o efeito que a máscara produz em si. A primeira reorganização da autoimagem se dá a partir do espelho. Ao se olhar no espelho, por mais que o cliente tenha imaginado, *a priori*, como estaria, é sempre uma surpresa, pois um novo aspecto de si emerge como figura. Fonseca e Engelman (2004, p. 211) afirmam: "Por melhor que se possa estar preparado, o outro, naquele momento, é o desconhecido. E um desconhecido que de pronto vai se mostrar: rindo, meneando a cabeça em sinal de aprovação, dormitando ou atento. São diferentes olhares".

Esse confronto com o desconhecido provoca uma autorregulação organísmica que pode ser observada em nível corporal: na postura, no tom de voz, na palavra que escapa, na própria relação com o espelho, na forma de mirar-se em diversas posições ou expressões faciais, com o olhar "não olhando", ou seja, comprovando uma evitação de contato com aquilo que lhe foi desvelado e para o qual ainda não tem suporte interno para confrontar. De acordo com Buchbinder e Matoso (1994), o espelho pode funcionar como um elemento tranquilizador ou multiplicador: tranquilizador quando a imagem refletida traz aspectos que reafirmam a autoimagem do cliente ou não têm impacto significativo nela; multiplicador quando ele desvela para o cliente novos aspectos do si mesmo, permitindo-lhe se dar conta de polaridades que estão sendo integradas e de como ele mudou. O espelho, dessa maneira, constata e testemunha a verdade das mudanças produzidas.

Todo experimento é composto de quatro etapas básicas: a preparação ou criação da base para o que vai ser feito, seu desenvolvimento, seu fechamento e a elaboração do vivido. Quando se trabalha com máscaras, a preparação demanda, antes de mais nada, que o Gestalt-terapeuta tenha clareza da questão, do tema que está emergindo do cliente ou do grupo naquele momento.

A depender do que esteja acontecendo e do tempo disponível na sessão, depois que o cliente aceita o convite do terapeuta para uma experiência com as máscaras, dá-se a ele a opção de trabalhar com máscaras prontas ou confeccioná-las. Para isso é preciso ter à mão o material necessário, a fim de que o cliente explore sua diversidade e suas possibilidades. No caso de máscaras prontas, estas devem estar espalhadas aleatoriamente à frente do cliente ou do grupo.

A gradação é um elemento fundamental no processo de desenvolvimento do experimento com máscaras. Segundo Zinker (2007), a gradação implica que a intensidade da tarefa esteja ajustada ao nível de suporte interno do cliente para realizá-la, sendo intensidade e ritmo ajustados para mais ou para menos ao longo do trabalho, a depender das possibilidades e da energia do cliente. Segundo Laura Perls (1992, p. 144), " o contato é bom e criativo apenas na medida em que haja suporte suficiente e adequado para ele".

O desenvolvimento do trabalho com máscaras passa por três momentos: o encontro com a máscara; a relação com ela; a vivência do personagem.

1. *O encontro com a máscara*. No caso de máscaras prontas, esse encontro pode acontecer em um modo de funcionar de *self* como *id*: o cliente pré-reflexivamente pega aquela que lhe chama atenção, que, de imediato, se tornou figura para ele. Pode também se dar em um modo de funcionar de *self* como ego, quando existe um tema a partir do qual se escolhe a máscara para expressá-lo. Nos dois modos, embora o cliente esteja dando um passo na ampliação da sua fronteira de familiaridade, o Gestalt-terapeuta está seguro para continuar seu trabalho, pois, pelo processo de autorregulação organísmica, se aquela máscara foi figura para o cliente é porque ele tem suporte interno para lidar com o que venha a emergir. "Escolher a própria máscara é o primeiro gesto voluntário humano. E solitário" (Lispector, 1968, p. 28). Quando se usa maquiagem ou tinta própria para pele, o encontro com a máscara se dá *a priori*, o cliente já tendo uma imagem do que quer pintar, ou, a depender da consigna dada, esta vai emergindo à medida que os traços e cores se formam no rosto da pessoa. Esse processo envolve o modo de funcionar do *self* como ego, pois o cliente observa a imagem que está aparecendo e, a partir daí, escolhe a forma que quer dar à máscara, além dos produtos que deseja usar na criação desta. Esse mesmo processo acontece quando se monta uma máscara com cartolina duplex e com os demais materiais já citados.

2. *A relação com a máscara*. Esse momento se inicia quando o cliente coloca a máscara e se olha no espelho. Inclui o impacto inicial vivido por ele ao ver esse outro que é ele e as sensações e sentimentos que isso lhe provoca. "O

primeiro impacto foi ver minha máscara, a coisa mais óbvia que eu não vi de mim, o atuar e não ser, o vazio" (Corazza *apud* Naranjo, 2013, p. 418, tradução minha). Quando em grupo, a relação com a máscara acontece ao se olhar para o outro e permitir-se ser olhado, além da experiência com o espelho. Em ambas as situações, a relação com a máscara também envolve a imagem corporal, as transformações que ocorrem na postura, nos gestos, fruto do impacto produzido ao se ver com a máscara: "Ao colocar a máscara, ao se esconder atrás de outro rosto, tende-se a acreditar que se está escondendo por inteiro" (Buchbinder e Matoso, 1994, p. 69, tradução minha). Além disso, os aspectos do personagem/polaridade que ela personifica se corporificam.
3. *A vivência do personagem*. Trata-se de mergulhar no personagem/polaridade, descrever-se como tal. É preciso observar os diálogos que surgem, a encenação de histórias e situações, a depender da proposta inicial do terapeuta e do que vai sendo construído no *setting* terapêutico.

A etapa de fechamento do experimento é delicada; se o Gestalt-terapeuta não souber quando e como encerrá-lo, pode destruir todo o trabalho realizado, deixando o cliente inacabado e até mesmo desorganizado. Um aspecto importante ao qual o profissional precisa estar atento é o tempo da sessão; o fechamento não pode ser abrupto, deve prever um tempo para que o cliente "retome a sua identidade", aproprie-se do que viveu, ao menos tornando-se *aware* do que foi significativo, mesmo que não haja mais tempo para uma elaboração mais profunda. Nem sempre o trabalho é encerrado com uma ressignificação da situação, podendo o terapeuta fechar o experimento quando este alcançar um clímax significativo para o que se está trabalhando, como também diante de uma situação de impasse.

A amplitude e a profundidade da elaboração do processo vivido dependem do tempo que ainda se tem, da capacidade de abstração e elaboração do cliente e de sua abertura para a *awareness*. A elaboração pode ser feita refletindo-se sobre partes do experimento com o tema trabalhado, sobre o que foi vivenciado com o momento existencial do cliente e sobre conteúdos trazidos pelo cliente em outras sessões.

Diversos experimentos podem ser criados utilizando máscaras. Descrevo aqui alguns com os quais trabalho, com o propósito de ilustrar a diversidade de possibilidades de manejo com elas e para que o leitor se sinta inspirado a criar novos experimentos, com seu tom e estilo de ser Gestalt-terapeuta. É importante lembrar que o experimento é construído no aqui-agora da relação com o cliente ou a clientela.

- O cliente escolhe ou cria espontaneamente uma máscara, olha para ela, percebe a impressão – sensações e sentimentos – que lhe causa e dá nome ao artefato. Um nível de gradação maior do mesmo experimento seria colocar a máscara no rosto e fazer a mesma coisa olhando-se no espelho. A proposta se amplia quando solicitamos ao cliente que crie ou escolha uma máscara polar à anterior.
- O cliente cria um diálogo entre as máscaras, colocando-as e tirando-as de acordo com a necessidade. Quando o trabalho é em grupo, o terapeuta pede que cada membro

construa uma máscara, escolha o artefato de outro colega, coloque-o, identifique seus sentimentos e interaja como esse personagem/polaridade, dialogando com os outros personagens.

• Os membros do grupo usam as máscaras para criar dramatizações de situações específicas da vida cotidiana ou para construir histórias. Pode-se propor que cada participante saia, um por vez, coloque a máscara e se apresente ao grupo, ou que chegue sem dizer nada e cada colega lhe diga a impressão que ele transmite – ou lhe faça perguntas sobre sua vida.

• Solicita-se ao cliente que pegue a máscara que menos lhe chamou a atenção e trabalhe com isso, ou que construa um diálogo entre ela e a que mais lhe chamou a atenção.

Pensando em termos de gradação, o trabalho para mim mais profundo é aquele com a máscara feita de gesso. Esta é moldada com tiras de gaze de gesso umedecidas, que vão sendo colocadas sobre o rosto da pessoa (tomando-se o cuidado de cobrir os olhos com discos de algodão e deixar os orifícios do nariz descobertos para que ela possa respirar). De endurecimento rápido, a máscara de gesso é então retirada e, quando seca, pintada ou customizada pela própria pessoa que a moldou. Trata-se de uma experiência muito forte, quase sempre associada à morte e ao sepultamento; além disso, é literalmente o rosto de quem a porta.

Enfim, as inúmeras possibilidades de experimento com máscaras vão depender da criatividade do Gestalt-terapeuta e da sua habilidade em perceber a necessidade que emerge no momento da relação com seu cliente ou grupo.

Os experimentos com máscaras têm um aspecto lúdico, de humor, que pode relativizar a fronteira de valor[4], ajudando a dissolver as resistências e facilitando o emergir de conteúdos do fundo de vividos do cliente, incoerências do seu comportamento na vida.

> Um dos caracteres fundamentais da máscara é sua capacidade de distanciamento. Por um momento, ela faz parte do sujeito em um jogo social preciso e, depois, ela cai como uma casca. Nesse sentido, a máscara é um emblema da morte, às vezes representando o que tem de efêmero e de eterno no homem, pois a máscara, sendo aparência, permanece muito mais imutável que a figura que ela oculta. (Paim, 1996, p. 210)

Como Gestalt-terapeutas, estamos mais interessados em favorecer o processo de crescimento e tomada de consciência do que em curar um sintoma (Petit, 2009). Por tudo que expus até aqui, espero que tenha ficado claro que a máscara é um excelente recurso para ampliar a *awareness* do cliente sobre si mesmo e seu modo de estar no mundo; para possibilitar a integração de polaridades, ampliando seu repertório de comportamentos e auxiliando o cliente a ser mais criativo e, em consequência, a ter mais recursos para enfrentar o que for emergindo no seu aqui-agora sem se interromper, podendo, assim, fluir livremente na vida. Fecho este capítulo com as palavras de Mario Quintana (1973, p. 84): "Para algo existir mesmo – um deus, um bicho, um universo, um anjo... – é

---

4. Sistema de valores que norteiam o comportamento do indivíduo, compondo seu sentido de certo, errado, permitido, proibido, adequado ou não.

preciso que alguém tenha consciência dele. Ou simplesmente que o tenha inventado".

E, também, de Claudio Naranjo (1980, p. 4-5, tradução minha):

> [...] apenas quando somos o que somos podemos dizer que estamos vivendo; apenas se começarmos a ser nós mesmos – ou reconhecer que já somos – encontraremos uma realização maior que aquela trazida pela satisfação de qualquer desejo particular.

REFERÊNCIAS

BARROS, P. *Narciso, a bruxa, o terapeuta elefante e outras histórias psi*. São Paulo: Summus, 1994.
BUCHBINDER, M. J. *Poética de la cultura*. Buenos Aires: Letra Viva, 2005.
BUCHBINDER, M. J.; MATOSO, E. *Las máscaras de las máscaras*. Buenos Aires: Edeuba, 1994.
CAMPOS, A. "Tabacaria". 1928. Arquivo Pessoa (*online*). Disponível em: <http://arquivopessoa.net/textos/163>. Acesso em: 26 ago. 2021.
FONSECA, T. M. G.; ENGELMAN, S. *Corpo, arte e clínica*. Porto Alegre: Editora da UFRGS, 2004.
HOUAISS, A.; VILLAR, M. S.; FRANCO, F. M. M. *Dicionário Houaiss da língua portuguesa*. Rio de Janeiro: Objetiva, 2001.
LATNER, J. *The Gestalt therapy book*. Nova York: Bantam Books, 1974.
LISPECTOR, C. "Persona". *Jornal do Brasil*, 2 mar. 1968.
_____. "Restos de carnaval" In: *Felicidade clandestina*. Rio de Janeiro: Rocco, 1998.
MORA, J. F. *Diccionario de filosofía abreviado*. Buenos Aires: Sudamericana, 1975.
NARANJO, C. *The techniques of Gestalt therapy*. Nova York: The Gestalt Journal, 1980.
_____. *Gestalt de vanguardia*. Barcelona: La Llave, 2013.
PAIM, S.; JARREAU, G. *Teoria e técnica de arteterapia – A compreensão do sujeito*. Porto Alegre: Artes Médicas, 1996.
PERLS, F. S.; HEFFERLINE, R.; GOODMAN, P. *Gestalt-terapia*. S. Paulo: Summus, 1997.
PERLS, L. *Living at the boundary*. Nova York: The Gestalt Journal, 1992.
PETIT, M. *La terapia Gestalt*. Barcelona: Kairós, 2009.
POLSTER, E.; POLSTER, M. *Gestalt-terapia integrada*. São Paulo: Summus, 2001.
SANTANA, A. L. "História das máscaras". Infoescola (*online*), s/d. Disponível em: <https://www.infoescola.com/artes/historia-das-mascaras/>. Acesso em: 26 ago 2021.
QUINTANA, M. "Ser e não ser". *Caderno H*. Porto Alegre: Globo, 1973.
ZINKER, J. *Processo criativo em Gestalt-terapia*. São Paulo: Summus, 2007.

Os autores

Karina Okajima Fukumitsu

Psicóloga e psicopedagoga, com pós-doutorado e doutorado em Psicologia pelo Instituto de Psicologia da Universidade de São Paulo (USP). Mestre em Psicologia Clínica pela Michigan School of Professional Psychology. Coordenadora do curso de pós-graduação em Suicidologia – Prevenção e Posvenção, Processos Autodestrutivos e Luto, da Universidade Municipal de São Caetano do Sul (USCS). Coordenadora, em parceria, dos cursos de pós-graduação Morte e Psicologia – Promoção da Saúde e Clínica Ampliada e Abordagem Clínica e Institucional em Gestalt-terapia, da Universidade Cruzeiro do Sul (Unicsul). Membro efetivo do Departamento de Gestalt--terapia do Instituto Sedes Sapientiae e coeditora da *Revista de Gestalt* do Departamento de Gestalt-terapia do Instituto Sedes Sapientiae. Produtora e apresentadora do *podcast* "Se tem vida, tem jeito" e organizadora desta obra.

Lilian Meyer Frazão

Mestre em Psicologia Clínica pela Universidade de São Paulo (USP), é uma das pioneiras em Gestalt-terapia no Brasil. Criadora e atual colaboradora do primeiro curso de formação em Gestalt-terapia no Brasil no Instituto Sedes Sapientiae, onde coordena o setor de Projetos. Colaboradora em treinamentos de Gestalt-terapeutas no Brasil e no exterior. Sócia-fundadora e ex-membro da diretoria da International Gestalt Therapy Association (IGTA). Fundadora da Associação Brasileira de Psicoterapia (Abrap), do Espaço Thérese Tellegen, do Centro de Estudos de Gestalt de São Paulo e da Associação Brasileira de Gestalt-terapia e Abordagem Gestáltica (ABG), onde é atualmente diretora técnico-científica. Autora de artigos em revistas e consultora editorial para a tradução e publicação de livros em Gestalt-terapia. Membro do conselho editorial de diversas revistas brasileiras.

Maria Alice Queiroz de Brito (Lika Queiroz)

Mestre em Psicologia Social pela Universidade Federal da Bahia (UFBA). Especialista em Psicologia Clínica pelo Conselho Federal de Psicologia (CFP). Professora e supervisora do Instituto de Psicologia da UFBA. Fundadora e diretora do Instituto de Gestalt-terapia da Bahia. Fez parte do primeiro grupo de Gestalt-terapeutas do Brasil, tendo implantado a abordagem em vários estados. Docente de cursos de pós-graduação e formações em Gestalt-terapia, ministra cursos sobre temas diversos na abordagem em vários institutos do país. Criadora da metodologia Reconfiguração do Campo Familiar: um enfoque gestáltico transgeracional. No Brasil, desenvolveu a metodologia do trabalho com a caixa de areia na abordagem gestáltica. Autora de artigos e capítulos de livros. Supervisora nas áreas clínica, clínica ampliada e hospitalar na abordagem gestáltica. Membro fundador e vice-presidente da primeira diretoria da Associação Brasileira de Gestalt-terapia, e membro do Colégio Internacional de Terapeutas.

Maria de Fatima Pereira Diógenes

Psicóloga. Especialista em Gestalt-terapia pela Universidade Estadual Vale do Acaraú (UVA), em Educação Especial pela Universidade Federal do Ceará (UFC) e em Psicologia Clínica e do Trabalho pelo Conselho Regional de Psicologia do Ceará (CRP). Psicoterapeuta individual e de grupos, tem formação e pós-formação em Gestalt-terapia com Lika Queiroz (BA), em Gestalt-terapia de Casal e Família com Teresinha Mello da Silveira (RJ) e várias outras formações na abordagem gestáltica. Fundadora do Centro Gestáltico de Fortaleza (CGF). Desenvolve trabalhos com histórias e contos como experimentos em Gestalt-terapia. Escritora de contos e crônicas, tem textos em coletâneas publicadas por várias editoras brasileiras. Autora de *Travessias – Vidas recontadas* (Fortaleza: CGF, 2019) e coautora de *Ensaios em Gestalt-terapia – Percursos autobiográficos* (Salvador: Edufba, 2019).

Maria Teresa Vignoli (Teca)
Psicóloga pela Universidade Federal do Rio de Janeiro (UFRJ). Psicoterapeuta e supervisora clínica. Especialista em Gestalt-terapia pelo Center for Studies of the Person, em convênio com o prof. Walter da Rosa Ribeiro, de Brasília, e em Psicologia Analítica Junguiana pela Universidade Estadual de Campinas (Unicamp). Professora do curso de Formação em Gestalt-terapia do Centro de Estudos e Pesquisas em Gestalt-terapia de Campinas (SatoriGT), e professora convidada do Instituto Gestalt de São Paulo. Poeta, com livros publicados e participação em coletâneas, realiza oficinas de escrita criativa desde 1993 em universidades, centros de formação, escolas e espaços voltados à criatividade.

Montserrat Gasull Sanglas
Membro da Associação Brasileira de Gestalt-terapia e Abordagem Gestáltica (ABG). Palhaça. Professora de estudos clownescos. Sócia na empresa A Arte de Ser Grande. Realizou estudo da máscara neutra com Javier Villena (Barcelona). Seus estudos e práticas em palhaçaria foram influenciados pela pedagogia de Jacques Lecoq e Philippe Gaulier.

Otavio Dutra de Toledo
Médico-psicoterapeuta formado pela Pontifícia Universidade Católica de São Paulo (PUC-SP). Especializou-se em Gestalt-terapia

no Instituto Sedes Sapientiae, onde ministra *workshops* didático--vivenciais para os alunos do curso. É roteirista de espetáculos de teatro e dança, sendo o idealizador de vivências de sensibilização à obra, direcionadas ao elenco dos espetáculos.

Paulo de Tarso de Castro Peixoto

Pós-doutorando em Psicologia pelo Programa de Pós-graduação em Psicologia da Universidade Federal do Rio de Janeiro (UFRJ), tem pós-doutorado em Filosofia pelo Instituto de Filosofia e Ciências Sociais da UFRJ e pela Université Paris XII, França. Mestre e doutor em Psicologia pela Universidade Federal Fluminense (RJ). Graduado em Musicoterapia pela Universidade Conservatório Brasileiro de Música (CBM). Graduado em Filosofia pela Universidade Metropolitana de Santos (Unimes). Formado em Gestalt-terapia pela Vita Clínica, com a profa. dra. Teresinha Mello da Silveira. Coordenador do curso de pós-formação em Gestalt Ampliada e Transdisciplinaridade, co-coordenando cursos de formação com Teresinha Mello da Silveira. Coordenador da Universidade Livre e do Laboratório de Emoções, Afetos, Sociedade & Subjetividade (Lemass) da Secretaria Adjunta de Ensino Superior da Secretaria de Educação de Macaé (RJ).

Rodrigo Bastos

Mestre em Ciências Sociais. Pós-graduado em Psicologia Clínica na Abordagem Gestáltica. Psicólogo e palhaço. Membro da Associação Brasileira de Gestalt-terapia e Abordagem Gestáltica (ABG). Coordenador da pós-graduação em Gestalt-terapia da Universidade Santa Úrsula (USU). Professor em pós-graduações na abordagem gestáltica no Brasil. Autor de *O clown terapêutico* (Juiz de Fora: Bartlebee, 2017). Ministra cursos de formação em clownterapia e estudos em palhaçaria pela empresa A Arte de Ser Grande.

Selma Ciornai

Psicóloga com título validado pela Universidade de São Paulo (USP), Gestalt-terapeuta formada pelo San Francisco Gestalt Institute

(EUA), doutora em Psicologia Clínica (Saybrook University/USP), mestre em Arteterapia pela California State University (EUA) e bacharel em Humanidades pela Universidade de Haifa (Israel). Pioneira na introdução da arteterapia gestáltica no Brasil, é fundadora e coordenadora da formação em Arteterapia do Instituto Sedes Sapientiae, e docente na formação de Gestalt-terapeutas em vários institutos do Brasil, em cursos sobre física quântica, Gestalt-terapia e paradigmas de campo da contemporaneidade, Gestalt e grupos, recursos expressivos em Gestalt-terapia e outros temas. Profissional convidada em centros de Gestalt na América Latina e na Europa, é membro honorário da União Brasileira de Associações de Arteterapia (Ubaat). Fundadora da Associação Brasileira de Gestalt-terapia e Abordagem Gestáltica (ABG) onde fez parte das duas primeiras diretorias. Autora de textos em revistas nacionais e internacionais de Gestalt-terapia e arteterapia, é organizadora da coleção *Percursos em arteterapia* e de capítulos nos volumes 4, 6 e 8 da coleção *Gestalt terapia – Fundamentos e práticas*, todos publicados pela Summus. Atua como psicoterapeuta e supervisora há 35 anos.

Wanne de Oliveira Belmino

Psicóloga, Gestalt-terapeuta, psicoterapeuta e supervisora clínica. Graduada pela Universidade Federal do Ceará (UFC). Especialista em Saúde Mental pela Universidade Estadual do Ceará (Uece). Formada em Gestalt-terapia pelo Instituto Gestalt do Ceará (IGC) e em Gestalt-terapia e Intervenções Grupais pelo Centro de Gestáltico de Fortaleza. (CGF). Cursando pós-formação em Gestalt Ampliada e Transdisciplinaridade na Eco Vie. Organizadora da obra *Livro B*. Facilitadora de cursos e grupos terapêuticos com foco em arte e criatividade. Apresentadora dos *podcasts* "Gestalt aberta" e "Águas vivas". Docente em cursos de aprimoramento e formação em Gestalt-terapia.

www.gruposummus.com.br